簡帛書法大系

馬王堆漢墓帛書書法·漢隸

湖南省博物館 上海書畫出版社 編

喻燕姣 王立翔 主編

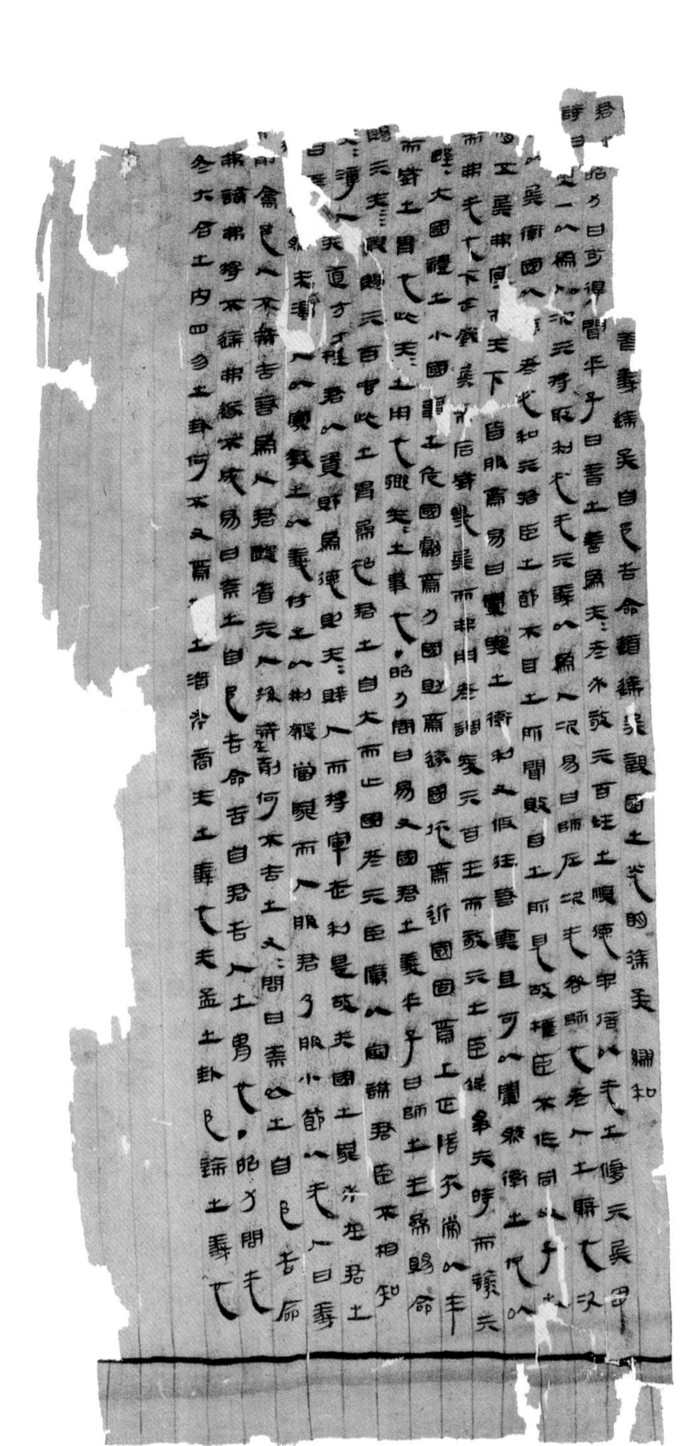

上海書畫出版社

前言

湖南長沙馬王堆漢墓是指一九七二年至一九七四年發掘的長沙馬王堆三座西漢墓葬，是西漢初期第一任軑侯、長沙國丞相利蒼的家庭墓地。一號墓墓主是名不見經傳的利蒼之妻辛追，約逝於公元前一六三年；二號墓墓主是利蒼本人，史書記載其於公元前一八六年去世；三號墓墓主則是利蒼和辛追之子，據墓中紀年木牘記載，其下葬年代爲漢文帝十二年（前一六八），死時三十多歲。

馬王堆三座漢墓共出土三千餘件珍貴文物，有帛書、帛畫、簡牘、絲織品、漆木器、樂器、動植物標本、竹器、陶器、兵器等，無不是稀世珍品。特别矚目的是，出土一具『長眠』地下兩千餘年、依然保存完好的辛追夫人遺體，成爲『濕屍』類古人類遺骸最典型的代表，被學界稱爲『馬王堆型古屍』。馬王堆漢墓豐碩的考古成果使其當之無愧地成爲二十世紀中國乃至世界最重大的考古發現之一。

在馬王堆漢墓衆多出土文物中，帛書、帛畫、簡牘等引起了學界普遍關注。三座墓葬，除二號墓只在墓道發現一枚竹簡外，一號墓和三號墓均出土大量相關文物。

絲帛是在紙張普遍使用之前，與竹、木共用的文書、畫及圖、表等的書寫載體，文獻中的『書於竹帛』即指此。書寫在竹簡、木牘上的文書多見，但書寫於帛上的文書究竟是何樣式，過去因缺乏實物證據，無從知曉，直至馬王堆漢墓的發掘，人們才有幸看到了它的樣式。馬王堆漢墓帛書，均出土於三號墓，共計十多萬字，五十餘種，分别抄寫在寬四十八厘米的整幅帛和寬二十四厘米的半幅帛上，出土時已嚴重破損，後經修復整理和研究，確定其內容涉及戰國至西漢初期政治、經濟、哲學、歷史、天文、地理、醫學、軍事、體育、文學、藝術等衆多領域，堪稱一座微型圖書館。

馬王堆漢墓簡牘帛書分别用篆隸、漢隸和界於篆、隸之間的古隸寫成，其中相當一部分是經歷秦始皇『焚書坑儒』後尚存、已堙没兩千餘年的古佚書，也有一部分爲現存古籍的不同版本，這爲中國傳統文獻學科研究提供了十分豐富的實物及文獻資料，無疑是中國考古史上一次空前的重大發現。

馬王堆漢墓帛書距今兩千一百多年，字體大致特點是用筆沉着、遒健，給人以含蕴、圓厚之感。章法獨具特色，既不同於簡書，也不同於石刻，縱有行，横無格，長度非常自由，有强烈的跳躍節奏感。總體反映了由篆至隸的隸變階段的文字特徵。

漢隸類帛書：漢隸或稱爲今隸，亦稱八分隸，這種字體在構形上較規範，用筆較有規律，綫條已完全失去了篆書圓轉的態勢，字形呈正方或扁方形，筆畫以方折爲主，横畫方入尖收或蠶頭雁尾并用，左波右磔對比强烈，字距間規整有序。這類帛書經典之作有：

《經法》《十六經》《稱》《道原》與《老子》乙本，同抄在一卷高四十八厘米的整幅帛上，上下界欄爲粗墨綫，朱絲欄作直行分隔，每行寬六至七毫米，字距行距大致均等。書中避劉邦諱，而不避惠帝劉盈諱，故抄寫年代應在公元前二〇六至前一九五年。《經法》《十六經》《稱》《道原》係抄録在《老子》乙本前面的四篇有關『黄帝』言論的古佚書，稱《黄帝書》或稱《黄帝四經》，是失佚的漢初黄老思想的重要古文獻。現存一萬一千餘字，原有篇題。其内容主張刑名之學，强調刑德兼施，依法治國，是與《老子》同源異流的道家重要學派。《經法》篇主要講的是治國必須依靠法治；《十六經》篇主要講的是政治、軍事鬥争的策略；《稱》篇主要講的是施政、行法必須權衡度量，區分輕重緩急；《道原》篇主要講的是宇宙觀；《老子》乙本其内容與帛書《老子》甲本基本相同，但文字上多有差異，尤其是抄寫字體大異其趣。全卷《德經》在前，《道經》在後。帛本《老子》與傳世本相比思路更清晰，内容更豐富。這幾篇帛書字的排布規矩、均勻，絶大部分的字呈正方或扁方形，用筆嚴謹，筆道方勁，左波右磔，伸斂自如，横平挑鈎，隸法謹嚴，章法上則行距漸緊，字距拉開，整齊勻稱，點畫分布均勻，極具規範漢隸之雛形。

《周易》經傳，包括經、傳兩部分，『經』即《周易》，『傳』即包括《二三子問》《系辭》《衷》《要》《繆和》《昭力》在内的六篇關於易學理論的古佚書。這些帛書用很有規律的漢隸抄寫在寬四十八厘米，長約八十五厘米的帛上，上下界欄爲粗墨綫，帛上畫有直行朱絲欄界格。《周易》共九十三行，約五千字，比較完整地抄録了《六十四卦》全文，每卦開頭均繪有卦圖，與傳世本對比，主要是卦序、卦辭、卦名和爻辭有所差異，是《周易》最古抄本之一。對校勘訂正通行本《周易》、研究《周易》和中國古代哲學思想具有重要價值；《二三子問》共三十六行，約兩千五百字，内容主要是以問答的形式，分别對乾、坤、鼎、晉、屯、同人、大有、謙、豫、中孚、少過、恒、解、艮、豐、未濟等卦的卦、爻辭進行了頗具儒家政治哲學色彩的解説，尤其是大部分解説都冠以『孔子曰』，更有很濃厚的儒家色彩；《系辭》共四十七行，約三千字，内容與通行本《系辭》基本相同，是《周易·系辭》最早的抄本之一，對校正通行本《系辭》，瞭解漢初《周易·系辭》的本來面目，研究《系辭》和《周易》思想，研究中國古代哲學思想史，均具有重要價值；《衷》五十一行，約三千餘字，内容闡述了陰陽乃是《易》之要義，對《周易》的許多卦義進行陳説，指明占、數、卦、爻所産生的原因，着重對乾、坤兩卦進行分析；《要》篇現存二十四行，一千七百餘字，内容主要是借易理以闡述『君子安其身而後動，易其心而後評，定位而後求』的重要性，記載了孔子晚年與子贛（貢）論《易》之事，着重敘述了孔子晚年好《易》的原因，此外還記敘了孔子對其門人弟子講敘損益之道的内容和哲理；《繆和》現存七十二行，共五千餘字，内容主要是以問答的形式來闡述易理，這是迄今所知以史證《易》的最早著作之一；《昭力》共十四行，約九百三十字，内容主要是討論君、卿大夫之義，借之而闡發師卦九二爻辭、六四爻辭、大畜卦九三爻辭、六五爻辭和比卦九五爻辭、秦卦上六爻辭等，具有較强的綜合性。其所闡發的爻辭義理則全是儒家色彩很濃的政治思想。這幾篇帛書用筆細膩精緻，纖勁見長，骨氣洞達，極爲有神。字的排布規矩、均勻，綫條組織合理，絶大部分的字呈正方或扁方形。章法上則行距漸緊，字距拉開，整齊勻稱，點畫分布均勻，筆畫略向左欹，横畫方入尖收或蠶頭雁尾并用，左波右磔對比强烈，隸書的點、横、波、磔已相當成熟和規範，但偶見殘存的篆書結構。字的大小搭配得當，疏密有致，增加了布局的靈動性和行氣的流動感。

《相馬經》，抄寫在幅寬約四十八厘米的整幅帛上，上下有墨綫界欄，用直行朱絲欄分隔，共七十七行，約五千二百字左右。書中避劉邦諱，而不避惠帝劉盈諱，故抄寫年代應在公元前二〇六至前一九五年。内容主要是對馬頭部、四肢的相法和有關相馬的理論，特別是對相馬眼的方法和對這種方法的詮釋。全書分爲經、傳、詁訓三個部分。這是我國動物學、畜牧學的重要古代文獻，是早已失傳的《相馬經》的抄本，對研究我國畜牧史提供了歷史文獻上從未見過的漢初關於相畜方面的材料，證實了我國古代相馬有着悠久的歷史。該篇帛書字體是比較規範和成熟的漢隸，字形大都趨於扁平，構形已比較規範，用筆已很有規律。横畫切鋒重入，呈方筆體勢，撇、捺左波右磔相當成熟而固定。綫條以方折爲主，已完全没有篆書綫條圓轉的態勢。

《刑德》乙篇，抄寫在長八十四厘米，寬四十四厘米的絹帛上，有較完整的墨綫外框，朱絲欄分隔圖、表之外的文字。右起上半部繪有朱、黄、墨三色相間彩繪的刑德九宫圖和干支紀年表；右起下半部和左邊均爲朱絲欄墨書隸體字，共五千餘字，部分文字有朱點起首，其内容主要是關於刑德運行規律的解説和對『刑德九宫圖』的詮釋，以及關於以雲氣、風、雨、雷等天文氣象占測戰爭勝負吉凶的規定。該篇是研究漢初刑德思想理論的重要資料。其用筆方法、字形結構、章法等與《周易》、《老子》乙本、《相馬經》相同，其中雖偶或殘存着篆書的結構，但其隸書的點、横、波、磔已相當成熟和規範，字體扁平、醇蓄，錯落有致，起筆藏鋒，收筆露鋒，波磔明顯，字呈横勢，排列長短相聚，肥瘦結合，點畫之間互有呼應，斂放避讓，各得其宜，盡顯漢隸初創之美。整幅看去，章法有序，雋秀規整。

《五星占》，抄寫在幅寬四十八厘米的帛上，共八千餘字。書中有『孝惠元』『高皇后元』的明確紀年，可知這卷帛書的抄寫年代不會早於漢文帝初年。全篇分兩大部分九個章節，第一部分爲木星（歲星）、金星（太白）、火星（熒惑）、土星（填星）、水星（辰星）及五星總結等六章，其内容與星占有關。第二部分三章爲天象記録，列出從秦王政元年（公元前二四六年）到漢文帝三年（公元前一七七年）凡七十年間木星、土星和金星的位置，并描述了這三顆行星在一個會合週期内的動態，是我國現存最早的天文書之一。其書寫風格主要以方整見長。章法布局較爲嚴謹，上下界欄爲粗墨綫，有縱、横朱絲欄分隔。行距較緊，字距較寬，其用筆方折爲主，横平竪直，左波右磔，棱角分明。其中如『西』『四』『東』『晨』等字，反復出現，均呈扁方平正之態。可見漢隸的結構、用筆、章法等基本格局，在此已大致定型。有趣的是，『孝惠元』『高皇后元』等字還保留着古隸遺風，由此可推論，這卷帛書的抄手不僅熟悉古隸的寫法，而且對當時已趨於成熟的漢隸也寫來得心應手，所以這卷帛書對研究從古隸到漢隸的演變過程，很有啓迪和參考價值。

馬王堆漢墓帛書雖出土已有時日，但市面上一直缺少物美價廉的專業帛書書法學習用書。本書特精選部分馬王堆漢墓帛書漢隸類精品成册，以便讀者觀摩臨習使用。

喻燕姣　王立翔

二〇二〇年五月

目録

《周易》七　《二三子問》一

□□亨利有攸往利見大□初六進内□利武人之貞˪九二箅在牀下用使巫忿若吉无咎˪九三（一行）
亡亓溍斧貞凶（二行）
少蓺亨密雲不雨自我西茭˪初九復自道何亓咎吉˪九二堅復吉九三車説緮夫妻反目˪六四有復（三行）
觀盥而不尊有復顒若˪初六童觀小人无咎君子閵六二闚觀利女貞˪六三觀我生進退˪六四觀國（四行）
漸女歸吉利貞˪初六鳿漸于淵小子癘有言无咎˪六二鳿漸于坂酒食衎=吉˪九三鳿漸于陸（五行）
繩終莫之勝吉˪尚九鳿漸于陸其羽可用爲宜吉（六行）
中復豚魚吉和涉大川利貞初九杅吉有它不寧˪九二鳴鶴在陰亓子和□□□（七行）
韓音登于天貞凶（八行）
渙亨王叚于廟利涉大川˪利貞˪初六撜馬吉悔亡九二渙賁亓階悔亡˪六三渙亓竆□无咎˪九四渙（九行）
家人利女貞˪初九門有家悔亡˪六二无攸遂˪在中貴貞吉˪九三家人㷉=悔厲吉婦子裏=終閵（十行）
益利用攸往利涉大川˪初九利用爲大作元吉无咎˪九二或益之十傰之龜弗克回永貞（十一行）
家遷國˪九五有復惠心勿問元吉有復惠我德˪尚九莫益之或擊之立心勿恆（十二行）
■■二厶子問曰易屢稱於龍=之德何如˪孔子曰龍大矣˪龍刑噩叚賓于帝俔神聖之德也高尚齊虖（十三行）
乎深潚則魚蛟先後之水流之物莫不隋從˪陵處則靁神養之風雨辟鄉鳥守弗干˪曰龍大矣（十四行）

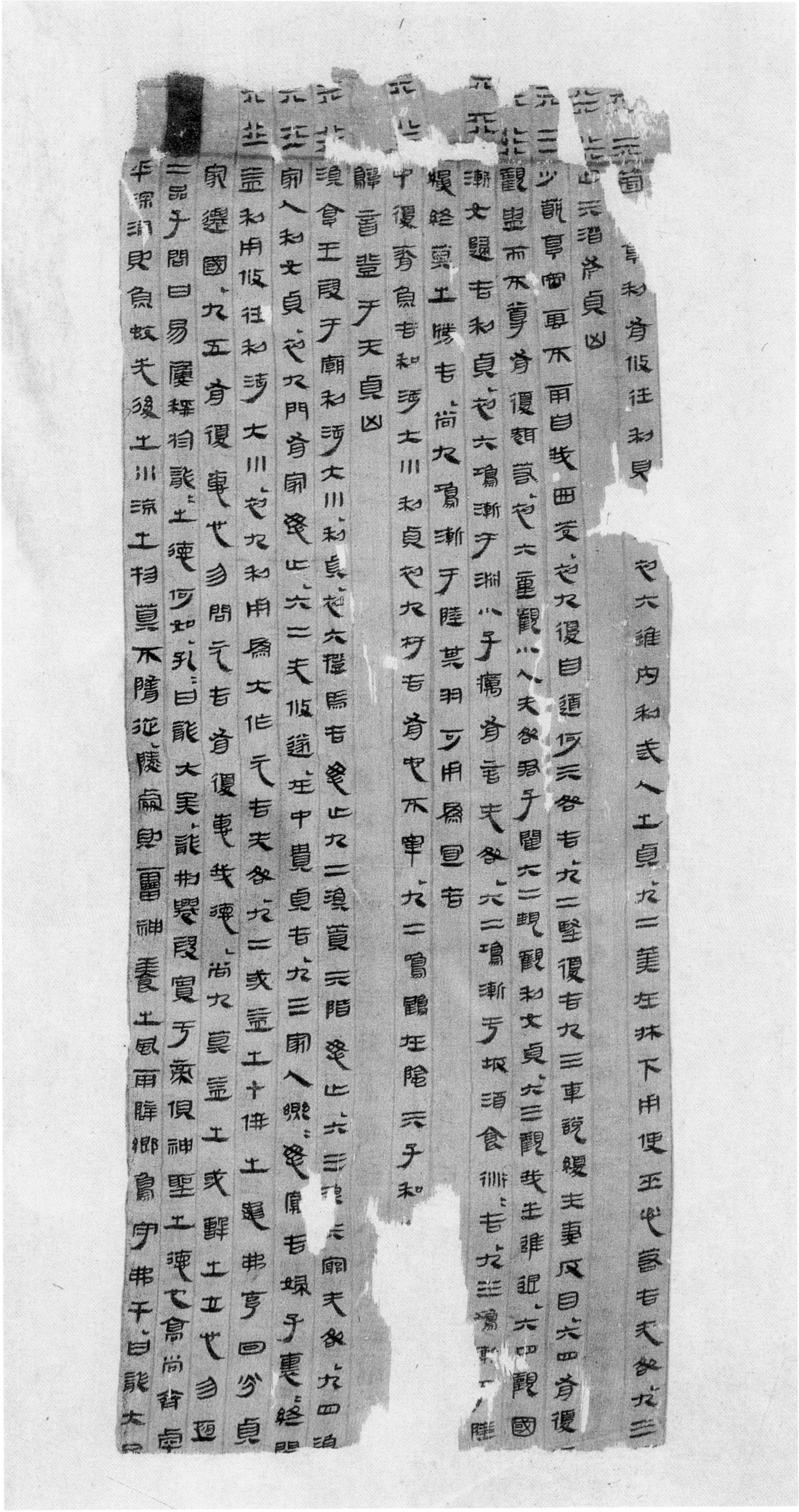

□□筭亨利有攸往利見□初六進內利武人之貞九二筭在牀下用使巫忒若吉无咎九三
□□□亓溍斧貞凶
□□少蓺亨密雲不雨自我西茭初九復自道何亓咎吉九二堅復吉九三車說緮夫妻反目六四有復
□□觀盥而不尊有復顒寂初六童觀小人无咎君子閵六二闚觀利女貞六三觀我生進退六四觀國
□□漸女歸吉利貞初六鳿漸于淵小子癘有言无咎六二鳿漸于坂酒食衎衎吉九三鳿漸于陸
繩終莫之勝吉尚九鳿漸于陸其羽可用為宜吉
□□中復豚魚吉利涉大川利貞初九杅吉有它不寧九二鳴鶴在陰亓子和
翰音登于天貞凶
□□渙亨王叚于廟利涉大川利貞初六撜馬吉悔亡九二渙賁亓階悔亡六三渙亓躬无咎六四渙
□□家人利女貞初九門有家悔亡六二无攸遂在中貴貞吉九三家人幾幾悔厲吉婦子裏裏終閵
□□益利用攸往利涉大川初九利用為大作元吉无咎六二或益之十傰之龜弗亨回永貞
家遷國九五有復惠心勿問元吉有復惠我德尚九莫益之或擊之立心勿恆
二三子問曰易屢稱於龍龍之德何如孔子曰龍大矣龍刑遷段賓于帝俔神聖之德也高尚齊虖
平深淵則魚蛟先後之川流之物莫不隋從陵處則雷神養之風雨辟鄉鳥守弗干曰龍大

亨利有攸往利見　初六進內利武人之貞九二筭在牀下
亓溍斧貞凶
少蓺亨密雲不雨自我西茭初九復自道何亓咎吉九二堅復吉九三
觀盥而不尊有復顒若初六童觀小人无咎君子閵六二闚觀利女貞
漸女歸吉利貞初六鳴漸于淵小子癘有言无咎六二鳴漸于坂
繩終莫之勝吉尚九鳴漸于陸其羽可用為宜吉
中復豚魚吉利涉大川利貞初九杅吉有它不寧九二鳴鶴在陰
騿音登于天貞凶
渙亨王叚于廟利涉大川利貞初六撜馬吉悔亡九二渙賁亓階悔
家人利女貞初九門有家悔亡六二无攸遂在中貴貞吉九三家
益利用攸往利涉大川初九利用為大作元吉无咎六二或益之
家遷國九五有復惠心勿問元吉有復惠我德尚九莫
二三子問曰易屢稱於龍龍之德何如孔子曰龍大矣龍形遷叚賓于帝
乎深淵則魚蛟先後之水流之物莫不隨從陵處則雷神養之風

貝　初六維內和我人上貞九二美在林下用使王代富吉无咎九三

我田茨初九復自道何其咎吉九二堅復吉九三車說緮夫妻反目六四有復

觀初六童觀小人无咎君子閵六二規觀利女貞六三觀我生進退六四觀國

鳴漸于淵小子厲有言无咎六二鳴漸于坂酒食衎衎吉九三鳴漸于陸

九鳴漸于陸其羽可用爲宜吉

川利貞初九杅吉有它不寧九二鳴鶴在陰其子和

大川利貞初六撜馬吉悔亡九二渙賁其階悔亡六三渙其躬无咎九四渙

有家悔亡六二无攸遂在中貴貞吉九三家人熇熇悔厲吉婦子裏裏終閉

川初九利用爲大作元吉无咎六二或益之十倗之龜弗亨回多貞

衷也多問元吉有復衷我德尚九莫益之或擊之立心勿恆

謂之德何如孔子曰能大其實能刑賢良寘于棄但神聖之德也尚爾亭

上川流上羽莫不隋從陵扁則靈神養之風雨時鄉鳥守弗干自能大

《二三子問》二

易□□□和爵之曰君子˪戒事敬命精白柔和而不諱賢爵之曰夫子或大或小其方一也˪至周（一行）
孔子曰龍寯矣而不陽時至矣而不出˪可謂寯矣大人安失矣而不朝言謪猷在廷亦猶龍之（二行）
有也聖人之立正也若遁木俞高俞畏下故曰抗龍有悔•易曰龍戰于野其血玄黃孔〻曰（三行）
□□聖人乎˪龍戰于野者˪言大人之廣德而下綏民也˪其血玄黃者見文也˪聖人出法教以（四行）
曰王臣蹇〻者言其難也夫唯智其難也故重言之以戒今也君子智難而備□□不難矣˪見幾而務之（五行）
足復公莡其刑屋凶孔子曰此言下不勝任也˪非其任也而任之能毋折虖下不用則城不守˪師不戰内亂（六行）
乎孔子曰昔者晉厲公路其國蕪其地˪出田七月不歸民反諸雲夢无車而獨行□□□□⧄（七行）
无不利˪孔〻曰鼎大矣˪鼎之遷也不自往必入舉之大人之貞也鼎之舉也不以其止以⧄（八行）
庶晝日三接˪孔〻曰此言聖王之安世者也˪聖人之正牛參弗服馬恒弗駕不夏乘牝馬□□□□（九行）
傷甘露時雨聚降剽風苦雨不至民悤相鬺以壽˪故曰番庶˪聖王各有厶公˪厶卿˪晝日三□（十行）
□以衍矣而不可以言箴之其猶聒囊也莫出莫入˪故曰无咎无譽˪二˪厶子問曰獨㵚箴于聖□□□（十一行）
易繇生也聖人壹言萬世用之唯恐其不言也有何箴焉•卦曰見龍在田利見大人孔〻曰□□□□（十二行）
用⧄言君子˪務時〻至而動□□□□□□屈力以成功亦日中而不止時年至而不（十三行）

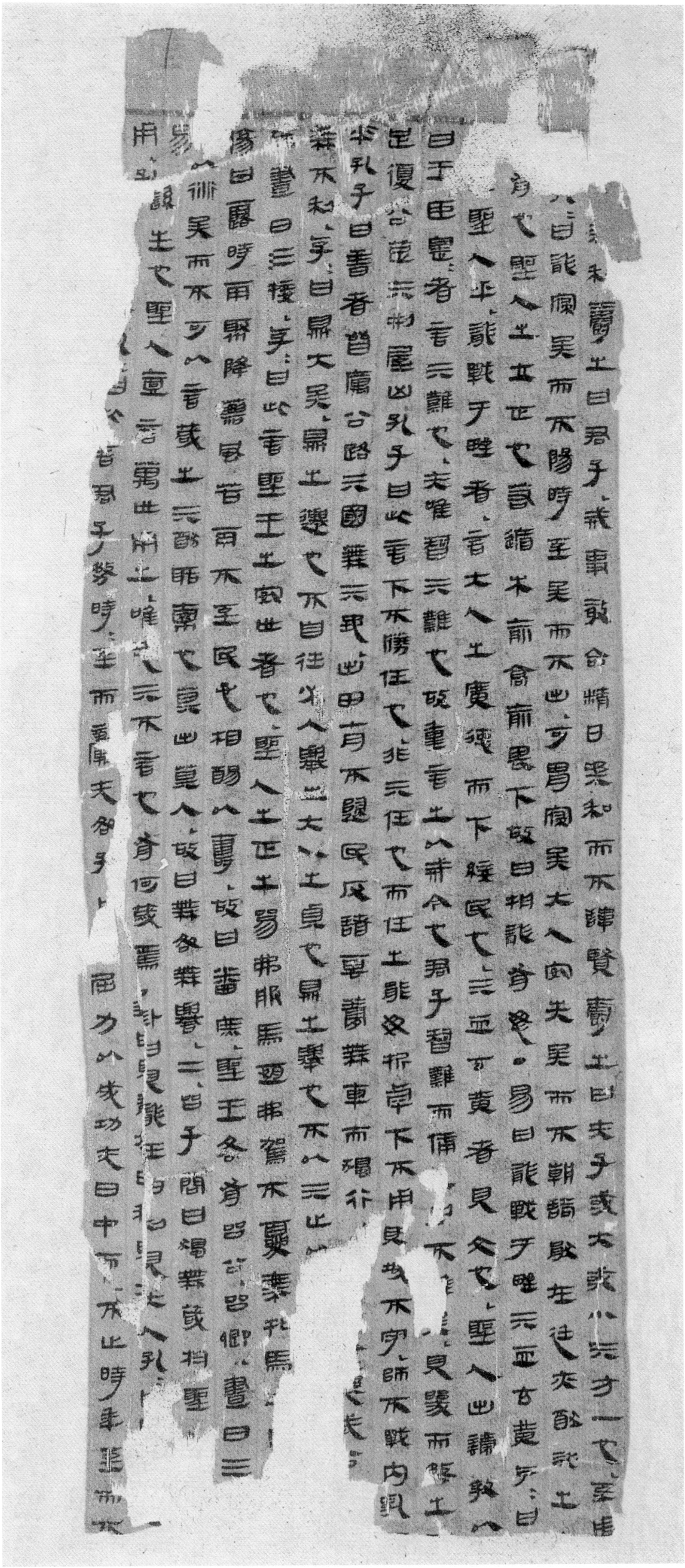

□未□之曰君子戒事敬命精白柔和而不諱賢爵之曰
□曰龍寑矣而不陽時至矣而不出可胃寑矣大人安失矣而
□也聖人之立正也若遁木俞高俞畏下故曰抗龍有悔易
聖人乎龍戰于野者言大人之廣德而下綏民也亓血玄黃
曰王臣蹇蹇者言亓難也夫唯智亓難也故重言之以戒今也君子智難
足復公莡亓刑屋凶孔子曰此言下不勝任也非亓任也而任之能毋折□
乎孔子曰書者昔晉厲公路亓國蕪亓地出田肯不騷民民反諸害舊蕪東
蕪不和孔子曰鼎大矣鼎之遷也不自往必人舉之大人之貞也鼎之舉也
□晝日三接孔子曰此言聖王之安世者也聖人之正牛參弗服馬恆□
傷曰□露時雨驟降飄風苦雨不至民也相腸以壽故曰蕃庶聖王
以衛矣而不可以言箴之亓猶聒囊也莫出莫入故曰無咎無譽二三□
易□錄生也聖人壹言萬世用之唯恐亓不言也有何箴焉卦曰見龍
用之……人□以者君子務時時至而□□夫智多卜……屈力以成

戒事敬命，精白柔和，而不諱賢，爵之曰夫子，或大或小，其方一也，至周

至矣而不出，于邑國矣，大人安失矣，而不朝，諸敗在往來，於之

猶未前合前恩下，故曰相能有終。•易曰：龍戰于野，其血玄黃。曰

言大人之廣德而下接民也。其血玄黃者，見文也。聖人出法教以

智其難也，故重言之，以戒今也。君子智難而備之，□□不難。見幾而務之

言下不勝任也。非其任也而任之，能毋折乎？下不用則城不守，師不戰，內亂

□其用也，以有不顯，民反諸害，薦舉車而碣行，□□……

之也，不自往，必人舉之，大人之貞也。鼎之舉也，不以其止，以□……

上之貴世者也。聖人之正，牛參弗服，馬恆弗駕，不憂乘牝馬，□……

而不至民也，相揚以尊，故曰蕃庶。聖王各有三公三卿，晝日三

接，聽東也，莫出莫入，故曰蕃多蕃譽。二三子問曰：渴蕃哉抑聖

所上，唯□，其不言也，有何哉焉。卦曰：見龍在田，利見大人。孔□

子務時，時至而動，庸夫智予□，屈力以成功，亦日中而不止，時年至而□

《二三子問》三

□也而名之曰君子兼黃常近之矣尊威精白堅強行之不可撓也不習近之矣・易曰寢龍勿（一行）
寢也」其行滅而不可用也故曰寢龍勿用・易曰抗龍有悔」孔＝曰此言爲上而驕＝下＝而不殆者未（二行）
此言大人之廣德而施教于民也」夫文之李采物畢存者其唯龍乎」德義廣大」法物備具□（三行）
道民」亦猶龍之文也」可謂玄黃矣故曰龍」見龍而稱莫大焉・易曰王臣蹇＝非今之□□□（四行）
□有功矣」故備難□易」務幾者成存其人不言吉凶焉」非今之故者非言獨今也」古以狀也・易曰鼎折（五行）
□上謂折足路其國□□地五種不收謂復公莡□養不至饑餓不得食謂刑屋二」厶子問曰人君至□□（六行）
□□□□□□焉不得食亓肉」此其刑屋也故曰德義无小」失宗无大」此之謂也・易曰鼎玉璧□吉（七行）
□□□□□□□賢以舉忌也明君立正」賢輔弼之將何爲」而不利故曰大吉・易曰康侯用錫馬番（八行）
□□□□□□粟時至芻稾不重故曰錫馬」聖人之立正也必尊天而敬眾理順五行天地无菑民□不（九行）
□□□□□□者也・易曰聒囊无咎无譽」孔＝曰此言箴小人之口也」小人多言」多過」多事多患□□（十行）
□□□聖人之言也德之首也聖人之有口也猶地之有川浴也財用所繇出▨（十一行）
□□□□嗛易告也就民易遇也聖人君子之貞也度民宜之故曰▨（十二行）
淹君子之務時猶馳驅也故曰君子終日鍵＝時盡而止之以置＝身＝▨（十三行）
曰蜚龍在天利見大人・卦曰見羣龍无首吉孔子曰龍神威而精處□□□□□□□□□□（十四行）
孔＝曰此言天時譖戒葆常也歲▨田產濕以▨虖始於▨（十五行）

也而治之曰君子齋黃常近之矣尊威精白堅強行之不可撓也不習近之矣•易曰[illegible]能多
閥也六行滅而不可內也故曰閥龍多用•易曰抗龍有悔孔子曰此言爲上而驕下驕下而不佁者未
此言大人之廣德而施教於民也夫文之孝采物畢存者其唯龍乎德義廣大灋物備具[illegible]
[illegible]道民亦猶龍之文也可謂玄黃矣故曰龍見龍而稱莫大焉[illegible]曰王臣蹇蹇非今之[illegible]
[illegible]身功名矣故備[illegible]易[illegible]勞具者非存其人不善者也焉非今之故者非言獨今也古以狀也•易[illegible]者
[illegible]上爲[illegible]之路其國[illegible]五種不收爲復公芷曰養不至飢不得食謂刑屋二三子問曰人君至[illegible]
[illegible]不得食其月此其刑屋也故曰渥義業小夫宗業大此之胃也•易曰鼎玉鉉[illegible]不
戈也[illegible]直此[illegible]賢以舉忌也明君立正賢輔弼之將何爲而不利故曰大吉•易曰康侯用錫馬[illegible]
[illegible]時至多[illegible]不重故曰錫馬聖人之立正也必尊天而敬衆理順五行天地無菑民[illegible]鼎折
者也•易曰聒囊無咎無譽孔子曰此言箴小人之口也小人多言多過多事多患[illegible]
聖人之言也德之首也聖人之有口也猶地之有川浴也財用所繇出[illegible]
[illegible]見嗛易告也就民易遇也聖人君子之貞也度民宜之故曰[illegible]之以國[illegible]
浦君子之務時猶馳驅也故曰君子終日鍵鍵時[illegible]
曰蜚龍在天利見大人•卦曰見羣龍[illegible]孔子曰龍神威而精處
[illegible]孔子曰此言天時譖戒葆常也[illegible]天不和孔[illegible]西南溼[illegible]始[illegible]
[illegible]其人 故孔子 [illegible]者

也而名之曰君子。犨黄常近之矣，尊威精白堅强，行之不可撓也，不渴
閵也。三行遂而不可内也，故曰閵。龍易用。•易曰：抗龍有悔。孔子曰：此言爲
此言大人之廣德而施教於民也。夫文之孝，采物畢存者，其唯龍乎？德
酒民，夾敢龍之文也，可胃其黄矣，故曰龍。見龍而稱莫大焉。□曰
□首功矣，故備□……易。勞□者，此存亓人，不言吉凶焉。非今之故者，非言獨
□上胃術之路亓國……□人五種不收，胃復谷豈曰養，不至飢餓，不得食謂把屋
□不得食亓月，此亓刑屋也，故曰德義無小，失宗無大，此之
弋也，直也……賢以舉是也，明君立正，賢輔弼之，將何爲而不利，故曰先□
樂時至，多庶不重，故曰錫馬。聖人之立正也，必尊天而敬衆理
者也。•易曰：昭囊，無咎無譽。孔子曰：此言箴小人之口也，小人多言
聖人之言也，德之首也。聖人之有口也，猶地之有川浴也，財用所繇出
□見嗛易告也，就民易遇也，聖人君子之貞也，度民宜之，故曰
溥君子之務時猶馳驅也，故曰君子終日鍵鍵。時盡而止之以置
□曰蜚龍在天，利見大人。•卦曰：見羣龍……孔子曰：龍神威而精
□孔子曰：此言天時譖戒葆常也。蒙……大不利。孔子曰：□西南溼白□始杓

黃常近之矣尊威精白堅強行之不可撓也不習近之矣・易曰□龍勿

□也故曰潛龍勿用・易曰抗龍有悔孔＝曰此言為上而驕＝下＝而不殆者未

教相民也夫文之孝采物畢存者其唯龍乎德義廣大法物備具

也可胃玄黃矣故曰龍見龍而稱莫大焉……曰王臣蹇＝非今之

務幾者成存其人不言吉凶焉非今之故者非言獨今也古以狀也・易……吉

人五種不收胃覆公莡口養不至飢餓不得食胃刑屋二三子問曰人君至□

得食其月此其刑屋也故曰德義無小失宗無大此之胃也・易曰鼎王鉉□不

舉是也明君立正賢輔弼之將何為而不利故曰大吉・易曰康侯用錫馬

臯不重故曰錫馬・聖人之立正也必尊天而敬眾理順五行天地無菑民□□

□囊無咎無譽孔＝曰此言箴小＝人＝之口也小人多言多過多事多患□□

首也聖人之有口也猶地之有川谷也財用所繇出……具者

□獻民易遇也聖人君子之貞也度民宜之故曰□……

也故曰君子終日鍵＝時沂……山土以國＝身＝……故孔子

・卦曰見羣龍……□孔＝曰龍神威而精處

□不利孔＝曰……□西南溼邑□始相

儃常也義……夜人

《系辭》一

天尊地庳鍵川定矣庳高已陳貴賤立矣動静有常剛柔斷矣方以類冣物以羣□□□□□□□□（一行）
鍵道成男川道成女鍵知大始川作成物鍵以易川以閒能易則傷知閒則易從傷知則有親傷從則有（二行）
理=得=而成立乎其中耶人詆卦觀馬繫辭焉而明吉凶剛柔相遂而生變化是故吉凶也者得失之馬也（三行）
動三亟之道也是故君子之所居而安者易之尊也所樂而妧教之始也君子居則觀其馬而妧其辭（四行）
變者也吉凶也者言其失得也悬閵也者言如小疵也无咎也者言補過也是故列貴賤□存乎立極（五行）
小辭有險易辭者各指其所之也易與天地順故能彌論天下之道卬以觀于天文顛以觀於地理是（六行）
□相枝故不回知周乎萬物道齊乎天下故不過方行不遺樂天知命故不憂安地厚乎仁故能既犯（七行）
□胃道係之者善也成之者生也仁者見之胃之仁知者見之胃知百生日用而弗知也故君子之道（八行）
誠德生之胃馬成馬之胃鍵教法之胃川極數知來之胃占迵變之胃事陰陽之胃神夫易廣矣大（九行）
動也榣是以大生焉夫川其静也斂其動也辟是以廣生焉廣大肥天地變迵肥四□陰□之合肥（十行）
崇效天卑法地天地設立易行乎其中誠生□□道義之門耶人具以見天之業而□疑者其刑容以（十一行）
斷其吉凶是□胃之教言天下之至業而不可惡也言天下之至業而不亂知之而後言義之而（十二行）
其室言善則千裏之外應之倪乎其近者乎出言而不善則千里之外回之倪乎其近者乎言出（十三行）
所以動天地也同人先號逃而後哭子曰君子之道或出或居或謀或語二人同心其利斷金同人之（十四行）
也夫且茅之爲述也薄用也而可重也慎此述也以往其毋所失之勞溓君子有冬吉子曰勞而不代（十五行）
也抗龍有悬子曰貴而无立□□□□賢人在其下□位而无輔是以動而有悬也不出户牖无咎子（十六行）

天奠地庳鍵川定矣庳高已陳貴賤立矣動靜有常剛柔斷矣方以類聚物以羣

鍵道成男川道成女鍵知大始川作成物鍵以易川以簡能易則易知簡則易從易知則有親易從則有

理=得=而成立乎亓中耶人設卦觀馬擊辭焉而明吉凶剛柔相遂而生變化是故吉凶也者得失之馬也

動三亟之道也是故君子之所居而安者易之序也所樂而妧者教之始也君子居則觀亓馬而妧亓辭

變者也吉凶也者言亓失得也悔閵也者言乎小疵也無咎也者善補過也是故列貴賤者存乎立

小辭有險易辭也者各指亓所之也易與天地順故能彌論天下之道印以觀於天文俯以觀於地理是

[illegible]栝故不回知周乎萬物道濟乎天下故不過方行不遺樂天知命故不憂安地厚乎仁故能愛也

[illegible]胃道繼之者善也成之者生也仁者見之胃之仁知者見之胃之知百生日用而弗知也故君子之道

[illegible]德之胃馬成馬之胃鍵效法之胃川極數知來之胃占迵變之胃事陰陽之胃神夫易廣矣大

動也搖是以大生焉夫川亓靜也斂亓動也辟是以廣生焉廣大肥天地變迵肥四[illegible]之合肥

爲德天界[illegible]天地設立易行乎亓中[illegible]道義之門聖人具以見天之業而[illegible]者亓[illegible]以

斷夫吉凶是故胃之教言天下之至業而不可亞也言天下之至業而不亂知之而句言義之而

亓室言善則千里之外應之況乎亓近者乎出言而不善則千里之外回之況乎亓近者乎言[illegible]

所以動天地也[illegible]人先號逃而後哭子曰君子之道或出或居或謀或語二人同心亓利斷金同心之

也夫且草之屬也薄用也而可重也慎此述也以往亓安所失矣勞謙君子有冬吉子曰勞而不伐

也拍設有悔子曰貴而[illegible]賢人在亓下[illegible]而无輔是以動而有悔也不出戶牖无咎子

天奠地庳鍵川定矣庳高已陳貴賤立矣動靜有常剛柔斷矣方以類冣
鍵道成男川道成女鍵知大始川作成物鍵以易川以間能易則傷知間則易
理〓得〓而城立乎亓中即人設卦觀馬擊辭焉而明吉凶剛柔相遂而生變化
動三亟之道也是故君子之所居而安者易之象也所樂而妧者教之始也
變者也吉凶也者言亓失得也悔閵也者言亓小疵也無咎也者善補過
[illegible]辭有險易辭也者各指亓所之也易與天地順故能彌論天下之道仰以
相校故不回知周乎萬物道齊乎天下故不過方行不遺樂天知命故不
一胃道係之者善也成之者生也仁者見之胃之仁知者見之胃知百生
誠德生之胃馬成馬之胃鍵教法之胃川極數知來之胃占迵變之胃事
[illegible]也搖是以大生焉夫川亓靜也斂亓動也辟是以廣生焉廣大肥天地
爲效天卑法地天地設立而易行乎亓中誠〓[illegible]道義之門即人具以見
斷亓吉凶是[illegible]胃之教言天下之至業而不可亞也言天下之至業而
亓室言善則千里之外應之況乎亓近者乎出言而不善則千里之外
而以動天地也同人先號逃而後哭子曰君子之道或出或居或謀或語
也夫白茅之爲物也淳用也而可重也慎此術也以往亓毋所失之勞謙君
也抗龍有悔子曰貴而无立[illegible]賢人在[illegible]下[illegible]无輔是以動而有

高已陳貴賤立矣動靜有常剛柔斷矣方以類聚物以羣
大始川作成物鍵以易川以閒能易則易知閒則易從易知則有親易從則有
設卦觀馬繫辭焉而明吉凶剛柔相遂而生變化是故吉凶也者得失之馬也
子之所居而安者易之序也所樂而玩教之始也君子居則觀其馬而玩其辭
矣得也悔閵也者言乎小疵也無咎也者善補過也是故列貴賤[illegible]存乎立極
亓所之也易與天地順故能彌論天下之道卬以觀於天文觀以觀於地理是
物道齊乎天下故不過方行不遺樂天知命故不憂安地厚乎仁故能愛
者善也作者見之胃之仁知者見之胃知百生日用而弗知也故君子之道
鍵教法之胃川極數知來之胃占迵變之胃事陰陽之胃神夫易廣矣大
亓精也斂亓動也辟是以廣生焉廣大肥天地變迵肥四[illegible]之合肥
之易行乎亓中誠之[illegible]道義之門聖人具以見天之業而[illegible]紛者亓共宮以
言天下之至業而不可惡也言天下之至業而不亂知之而句言義之而
也之化乎亓所者乎之言而不善則千里之外回之化乎亓近者乎言也
訓而後發子曰君子之道或出或居或謀或語二人同心亓利斷金同心之
也而可重也慎此術也以往亓無所失之勞謙君子有終吉子曰勞而不伐
之貴[illegible]賢人在亓下位[illegible]也輔是以動而有悔也不出戶牖无咎子

《系辭》二

〼神以至用利用安身以〼（一行）

必辱非其所勮而據焉身必危既辱且危死其將至妻可得見〼（二行）

不利之又動而不繒是以出而又獲也言舉成器而動者也子曰小人〼（三行）

成名惡不責不足以滅身小人以小善爲无益也而弗爲也以小惡〼（四行）

不冬□□□□石毋用冬日斷可識矣君子知物知章知柔〼（五行）

魋然天下□□順也德行恒閒以知□能説之心能數諸侯之〼（六行）

卦以馬告也教順以論語剛柔雜處吉□可識動作以利言吉凶以請遷□□愛惡相〼（七行）

且笑將反則□辤乳吉人之辤寡趮人之辭多无□□□□辤斿失其所守□辤屈□（八行）

《系辭》三

☒于疾利入于其宮不見其妻凶子曰非其☒（一行）
☒䨲者禽也弓矢者器也射之者人也君子臧器於身侍⿰而童何（二行）
□畏不諍□諍而大戒小人之福也易曰構校滅止无咎也者此之胃也善不責不足以（三行）
□蓋也罪大而不可解也易曰何校滅耳凶君子見幾而作不位冬日易曰介于石（四行）
□是與非則下中教不備初大要存亡吉凶則將可知矣鍵德行恒易以知險夫川（五行）
變化具爲吉事又羊馬事知器業事知來天地設馬聖人成能人謀鬼謀百姓與能八（六行）
遠近相取□□□□□□僞相欽而利害生凡易之請近而不相得則凶或害之則悔（七行）

《衷》一

而不息其吉保功也无柔栽之不死必亡僮陽者亡故火不吉也地之義柔弱沈静不僮其吉（一行）
保安而恒窮是故柔而不刏然后文而能勝也剛而不折然而后武而能安也易曰直方大不□（二行）
見蠪在田也者德也君子冬日鍵＝用也夕沂若厲无咎息也或鯉在淵隱□能静也飛龍□（三行）
子先迷後得主學人之謂也東北喪崩西南得崩求賢也履霜堅冰至豫□□也直方大□（四行）
龍單于野文而能達也或從王事无成有冬學而能發也易曰何校剛而折也鳴嗛也者柔而（五行）
剛而能讓此鍵川之厽説也子曰易之用也段之无道周之盛德也恐以守位敬以承事知以辟患（六行）
之長也九也者六肴之大也爲九之狀浮首兆下蛇身僂曲其爲龍類也夫蠪下居而上達者（七行）
曰潛龍勿用其義潛清勿使之胃也子曰廢則不可入於謀勝則不可與戒忌者不可與親繳□（八行）
咎易曰炕龍有悔大人之義不實於心則不見於德不單於口則不澤於面能威能澤胃之蠪易（九行）
僮不見用則静易曰君子冬日鍵＝夕沂若厲无咎・子曰知息也何咎之有人不淵不鯉則不見（十行）
成君子窮不忘達安不忘亡静居而成章首福又皇易曰飛蠪在天利見大人子曰天之□□□（十一行）
蠪无首子曰讓善之胃也君子羣居莫敢首善而治何誎其和也龍不侍光而僮无階而登（十二行）
童獸也川之類也是故良馬之類廣前而景後遂臧尚受而順下安而静外又美刑則中又（十三行）
反是胃以前戒後武夫昌慮文人緣序易曰先迷後得主學人胃也何无主之又天氣作（十四行）
始於東北成於西南君子見始弗逆順而保穀易曰東北喪崩西南得崩吉子曰非吉石也其（十五行）
吉子曰生文武也雖強學是弗能及之矣易曰含章可貞吉言美請之胃也文人僮小事時説大□（十六行）
冬可必可盡也君子言於无罪之外不言於又罪之内是胃重福易曰利□貞此川之羊説也子□（十七行）
以月豊天地之化又口能斂之无舌罪言不當其時則閉慎而觀易曰聒囊无咎子曰不言之胃也□（十八行）
曰尉文而不發之胃也文人内其光外其龍不以其白陽人之黑故其文茲章易曰□□既没又爵□（十九行）
龍七十變而不能去其文則文其信于而達神明之德也其辯名也雜而不戉於指易□衰世之僮與易（二十行）
以義剛柔之制也其稱名也少其取類也多其指閒其辭文其言曲而中其事隱而單因齎人行明□（二十一行）

而不卑，元吉，保功也。無柔救之，不死必亡。僮陽者之故，必不

保宓而靜廉，是故柔而不狂，然后文而能勝也；剛而不折，然

見龍在田也者，德也。君子終日鍵鍵，用也。夕沂若厲，无咎

子也。進退得主，學一之胃也。東北喪崩，西南得崩，求賢

能戰于野，文而能達也。□□從王事，无成有終，學而能發也。

密而能讓，此鍵川之習說也。子曰：易之用也，段之无道，思之

之長也。九也者，大首之大也。為九之狶，淨首兆，下起身遷幽

曰潛龍勿用，亓義潛清勿使之胃也。子曰：廢則不可，人歸謙

咎。易曰：肴發育帶大人之義不實，歸也；則不見歸德，不單歸

《要》一

□□□□□□行其義長其慮脩其其友言至一也□子安□□□□□□易矣若夫祝巫（一行）□□□□□□德則不能知易故君子尊□或繫之立心□□□□□□□子曰吾好學而毚（二行）□□□□□□忘危存不忘亡治不忘□之爲也夫子□□□□□家可保也易曰其〓亡〓繫于（三行）□□□□□曰顏氏之子其庶幾乎見幾又不善未嘗弗知〓之未嘗復行之易（四行）□□□□□君子安其身而後動易其心而後評定位而后求君子脩於此三（五行）□□□□□□勿恒凶此之胃也•夫子老而好易居則在席行則在橐子贛曰夫（六行）□□□□□何以老而好之乎夫子曰君子言以臯方也前羊而至者弗羊而巧也（七行）尤於□□□□如是則君子已重過矣賜聞諸夫子曰孫正而行義則人不惑矣夫（八行）□百生之道□□易也夫易剛者使知瞿柔者使知圖愚人爲而不忘衛人爲而去詐文（九行）予何安□事紂乎子贛曰夫子亦信其筮乎子曰吾百占而七十當唯周梁山之占也亦必（十行）者而義行之耳贊而不達於數則其爲之巫數而不達於德則其爲之史〓巫之筮鄉（十一行）子德行焉求福故祭祀而寡也仁義焉求吉故卜筮而希也祝巫卜筮其後乎•孔子（十二行）也益之爲卦也春以授夏之時也萬勿之所出也長日之所至也産之室也故曰（十三行）

《要》二　《繆和》一

始也吉其冬也凶損之始凶其冬也吉損益之道足以觀天地之變而君者之事已（一行）
地之心此胃易道故易又天道焉而不可以日月生辰盡稱也故爲之以陰陽又地道（二行）
之以上下又四時之變焉不可以萬勿盡稱也故爲之以八卦故易之爲書也一類不足以亟（三行）
樂不□百扁難以致之不問於古法不可順以辭令不可求以志善能者繇一求之所胃（四行）
之守也吾□□不達問學不上與恐言而貿易失人之道不然吾志亦願之繆和（五行）
至而能既焉賁走其時唯恐失之故當其時而弗能用也至於其失之也唯欲爲人用（六行）
衣常士弄不敝輿輪无千歲之國无百歲之家无十歲之能夫福之於人也既焉不（七行）
言於能賁其時悔之亡也·繆和問於先生曰凡生於天下者无愚知賢不宵莫不（八行）
所重言也曰又言不信凡天之道壹陰壹陽壹短壹長壹晦壹明夫人道尣之是故（九行）
驪氏古＝至今柏王之君未嘗憂困而能□曰美亚不□□□□也夫困之爲達也亦猶（十行）
之胃也·繆和問於先生曰吾年歲猶少志□□也□者利□人于其敢失忘吾者子曰何（十一行）
□□□書春秋詩語蓋紐而厲害異□之君子其□（十二行）
□已欲多□（十三行）

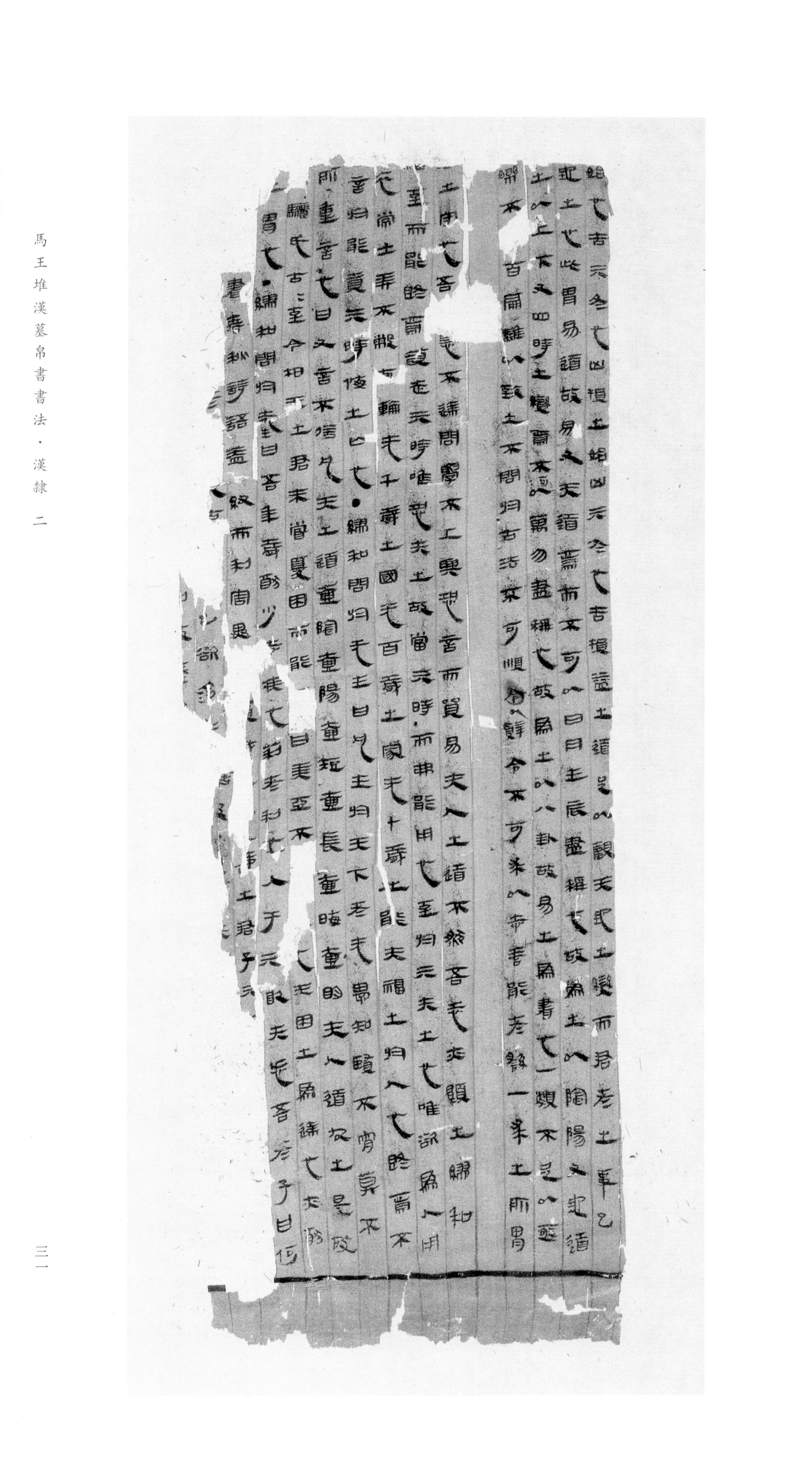

《繆和》二

義錯□發□□□□其妻奴粉白黑涅□□□□□□□□□□矣日中必傾□非能□而（一行）
君子爲爵□施令於天下也皎焉若□□□□□世循者不惑眩焉今《易》□之（二行）
也久者臣也立賞慶也若體埶然大☒使下君能令臣是以動則又（三行）
遇其夷主日中而久見君將失其光矣□□□□幾失君之德矣遇者見也見夷（四行）
以長又其□此之胃也・吕昌問先生曰易屯之九五曰屯其膏小貞吉大貞凶將何（五行）
過亦君子□而名與天地俱今易曰屯其膏此言自閨者也夫處上立厚自利而不自（六行）
□□能者□□未失君人之道也其小之吉不亦宜乎物未夢兆而先知之者耶人之志（七行）
□□君子於□□□樓與以相高也以爲至是也今易渙之六四曰渙其羣元吉此（八行）
□□將□易中複比□相譽以奪君明此古亡國敗家之法也明君之所行罰也將何（九行）
利□明□□□然立爲刑辟以散其羣黨埶爲賞慶爵列以勸其下羣臣黔首男（十行）
《詩》曰□□□小星參五在東蕭=宵正蚤夜在公是命不同彼此之胃也・吕昌問先生曰（十一行）
□□□□□□□筥之聞今周易曰蒙亨非我求董=蒙=求我初筮吉再參讀=則（十二行）
□□□也而又不然者夫内之不咎外之不逆筥=然能立志於天下（十三行）
古又之乎子曰□昌曰若子之言則易蒙上矣子曰何必若此而不可察也夫蒙者（十四行）
□□□□非我求童=蒙=求我初筮吉者聞其始而知其冬見其本而知其□□（十五行）
□焉故又嘉□□於仁義之道也雖弗身能剴能已才日夜不休冬身不卷日日載=必成而（十六行）
□□□□之九二其辭曰鳴鶴在陰其子和之我又好爵吾與壐羸之何胃□□（十七行）

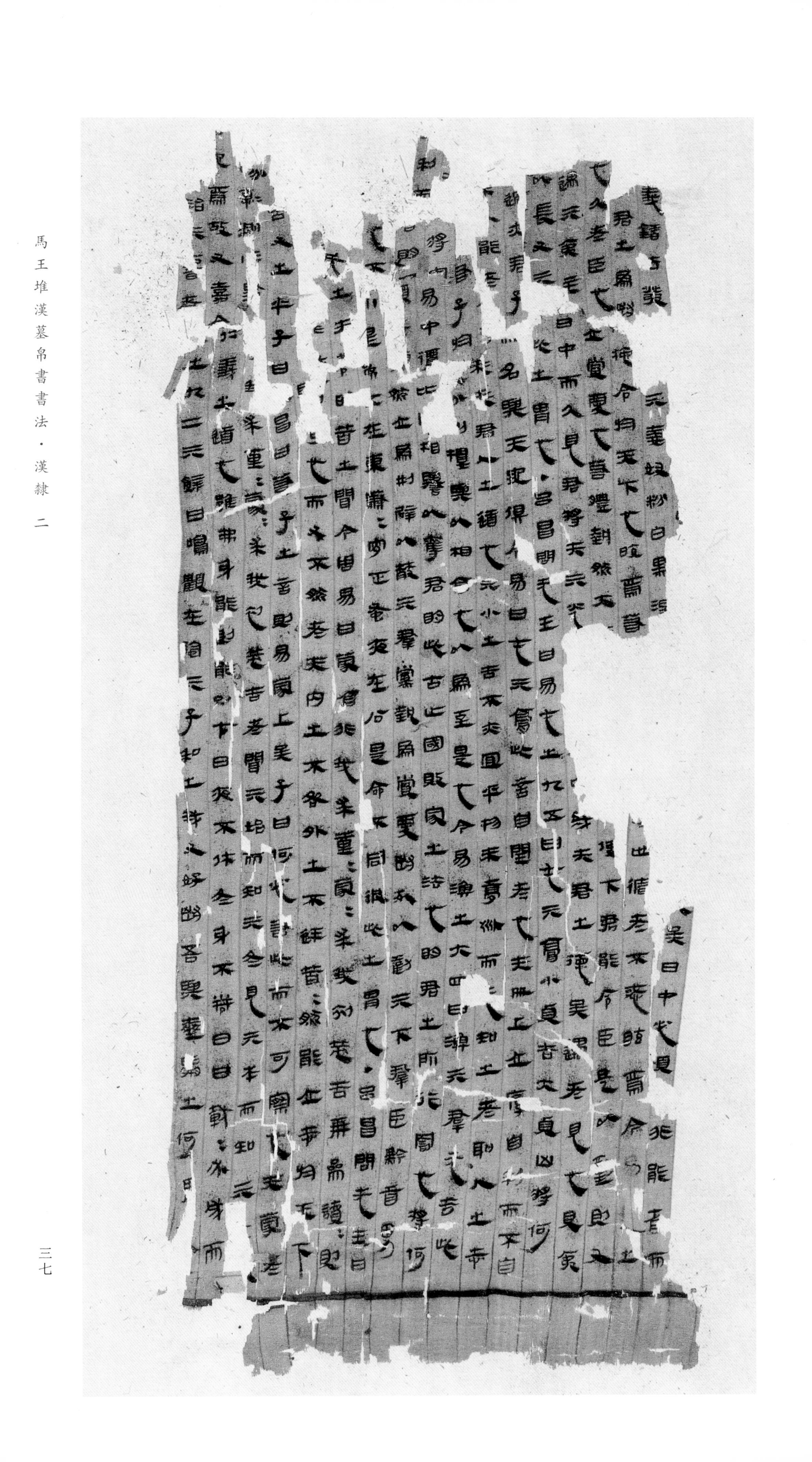

《繆和》三

也君發號出令以死力應之故曰其子和之我又好爵吾與壐羸之者夫爵祿在君在人君不徒（一行）
此聖王之所以君天下也故易曰鳴鶴陰其子和之我又好爵吾與壐羸之其此之胃乎•莊□□（二行）
而索者類非安樂而爲之也以但之私心論之此大者求尊嚴顯貴之名細者欲富厚安樂□（三行）
曰嗛=□□用涉大川吉將何以此諭也子曰夫務尊顯者其心又不足者也君子不然畛焉不□（四行）
也以又能爲无能也以又見爲无見也憧焉无敢設也以使其下所以治人請扙羣臣之僞也（五行）
是以而下驩然歸之而弗猒也用涉大川吉者夫明夷離下而川上川者順也君子之所以折其身（六行）
涉大川吉子曰能下人若此其吉也不亦宜乎舜取天下也當此卦也子曰蒽明叡知守以愚博（七行）
先生曰自古至今天下皆貴盛盈今周易曰嗛亨君子又冬敢問君子何亨於此乎子曰善（八行）
宜矣彼其貴之也此非聖君之所貴也夫聖君卑體屈貌以舒孫以下其人能至天下之人而又之（九行）
道精博以尚而安卑故萬勿得生焉聖君之道尊嚴叡知而弗以驕人嗛然牝德而好後故□□（十行）
者以德下其人=以死力報之其亨也不亦宜乎子曰天道毀盈而益嗛地道銷□□流嗛□□□□（十一行）
爲豐茬是以盛盈使祭服忽屋成加蓍宮成刋隅濂之爲道也君子貴之□□□□□（十二行）
封羊无血无攸利將以辭是何明也子曰此言君臣上下之求者也女者下也士□□故曰嗛亨君□（十三行）
也與實俱羣臣榮其列樂其實夫人盡忠於上其於小人也必談博知其又无而□者上也承者□□□□（十四行）
以勸之其於小人也賦斂无根耆欲无猒徵求无時財盡而人力屈不朕上求眾又離□□□□（十五行）
所以長又令名於天下也夫忠言情愛而實弗隨此鬼神之所疑也而兄人乎將何所利□□□□□□（十六行）
且夫求於无又者此凶之所產也善乎胃□无所利也•子曰君人者又大德於臣而不求其報□□□□（十七行）

《繆和》四　《昭力》一

□□□□□□□□習義達矣自邑告命道達矣觀國之光明達矣繆和（一行）
昭力曰可得聞乎子曰昔之善爲夫〓者必敬其百姓之順德忠信以先之脩其兵甲（二行）
□□□一以爲人次其將取利必先其義以爲人次易曰師左次无咎師也者人之聚也次（三行）
□以兵衛國以德者必和其君臣之節不□耳之所聞敗目之所見故權臣不作同父子之（四行）
脩五兵弗□而天下皆服焉易曰闌輿之衛利又攸往若輿且可以闌然衛之侻以（五行）
而弗先也下正鋭兵而后威錢兵而弗用者調愛其百生而敬其士臣強争其時而讓其（六行）
野﹂大國禮之小國事之危國獻焉力國助焉遠國依焉近國固焉上正陲衣常以來（七行）
而威之胃也此夫〓之用也卿夫〓之事也•昭力問曰易又國君之義乎子曰師之王參賜命（八行）
賜其夫〓親賜其百官此之胃參詔君之自大而亡國者其臣厲以寂謀君臣不相知（九行）
夫〓薄人□□□□抵君以資財爲德則夫〓賤人而將軍走利是故失國之罪必在君之（十行）
曰昔□□□□□人以寛教之以義仿之以刑殺當罪而人服君乃服小節以先人曰義（十一行）
前禽邑人不戒吉若爲人君毆省其人孫戒在前何不吉之又〓問曰柰以之自邑告命（十二行）
弗識弗將不達弗遂不成易曰柰之自邑告命吉自君告人之胃也•昭力問先（十三行）
冬六合之内四勿之卦何不又焉□之潛斧商夫之義也无孟之卦邑途之義也（十四行）

《相馬經》一

大光破章有月出亓上半矣而未明上有君臺下有逢芳旁又積緶急亓帷剛蘭筋既驁（一行）
乎駿□□強陽前陰後瘛乎若処而比離之台簧若合相復伯樂所相君子之馬陰陽受繩（二行）
視五色精明亓狀類怒前又盧首後又從軌中又臧保得薄與轉馬乃少患信能知一百節盡關（三行）
庰且安卒庰也三材作也前又二徽後又三齊一寸逮鹿二寸逮麇三寸可以襲歙四寸可以理天下得兔（四行）
強而筋骨難勞析方爲兑而心氣彌𨌯〓短續長亓量乃得損陜益廣善走有力用之不卷勮□□（五行）
以蒲毋相亓餘弗乹弗久藺然有朕有骨而朕有肉章肥不烕瞿亦不亡是胃大良出於澤登於陵良（六行）
本居陽亓本欲長良馬也□□□□□有刻盧亓中有玉靜居深視五色清明雍蒙別環細者如塼（七行）
善走雍亓後夬□□□□□□□夬亓前後凡相目高以復上有十焦眂慼〓環毋毛當爲肉（八行）
□有上有松柏□□□□□□□□□□□□廣以大直刺爲良旁刺爲敗去下一崖有一付枝遠望之（九行）
旁環以草伏則□□□□□□池上有隄〓上有棗〓麑實聞君室成𩅧天下弗得庰居橫寸（十行）
良見二國良見三□規亓□過量勿失上有君臺下有逢室勮此馬者守□□□□□□□（十一行）

而未明上有君臺下有逢芋有文積便急亓惟囧蘭前盼覽

苕卌而比離土台黃苕合相復旧樂所相君子土馬陰陽負紀

盈百後又從動中又獨保得之淳異轉馬多少串倍能知一百節盡匹

一徹後又三食一寸肆而二寸肆稟三寸可以諸解四寸可以理天下得參

前陸斬斬短續長亓量多得損陈益度書走有方用土不巻者

卌有前而卌有多章紀不戒瞿走不止是胃大良土歸渾益歸陵良

有前盧亓中有王錯居涼視之身清明維蒙別環細委如埤

之亓前後凡相目[illegible]以復上有十焦昒卌卌環多之當爲多

之以大直者爲良有者爲敗者下一崖有一付枝綜睡土

之上有限限上有美美之實間君室亓覆天下弗得[illegible]居[illegible]寸

過量多失上有君臺下有逢室前此馬者用[illegible]所

《相馬經》二

狄筋冥爽攸〓時動半蓋亓明周草既匿莫見於旁時風出本行馬以襄昭乎冥（一行）
曲直中巨長骼短頰乃中參伍削陰刻陽糾角又兩起陽没陰三骨相輔方艮深（二行）
知一之解雖多不煩尺也成利乃生氣乃并如月七日在天前爲出後爲入開闔盡利（三行）
與狐鳥與魚得此四物毋相亓餘吾請言亓解夫篩肉散筋而頸領彌高澤光彌（四行）
見亓故何也不唯一節正乎有尺有扶千里之渠有扶又寸萬乘之駿良馬容莛蓋（五行）
工所相陜乎若繩投之地草也良工舉之而保也有樹木皆產於大海之阿一本居陰一（六行）
大者如甑陰居陽視樸工弗知良工所見君子所貴眾人所賤雍亓前夬亓後馬乃（七行）
亓中有細線亓理若斬竹雍塞笱當燭亓明下受繩□□□薄〓天駿是當南（八行）
轉察之而離材者弗見匠與相知去下一止必循徐理□□□□□□□衷又一池（九行）
寸相應庌爲索寸爲繩庌也而非百節之幾□□□□□□□□□□常見一（十行）

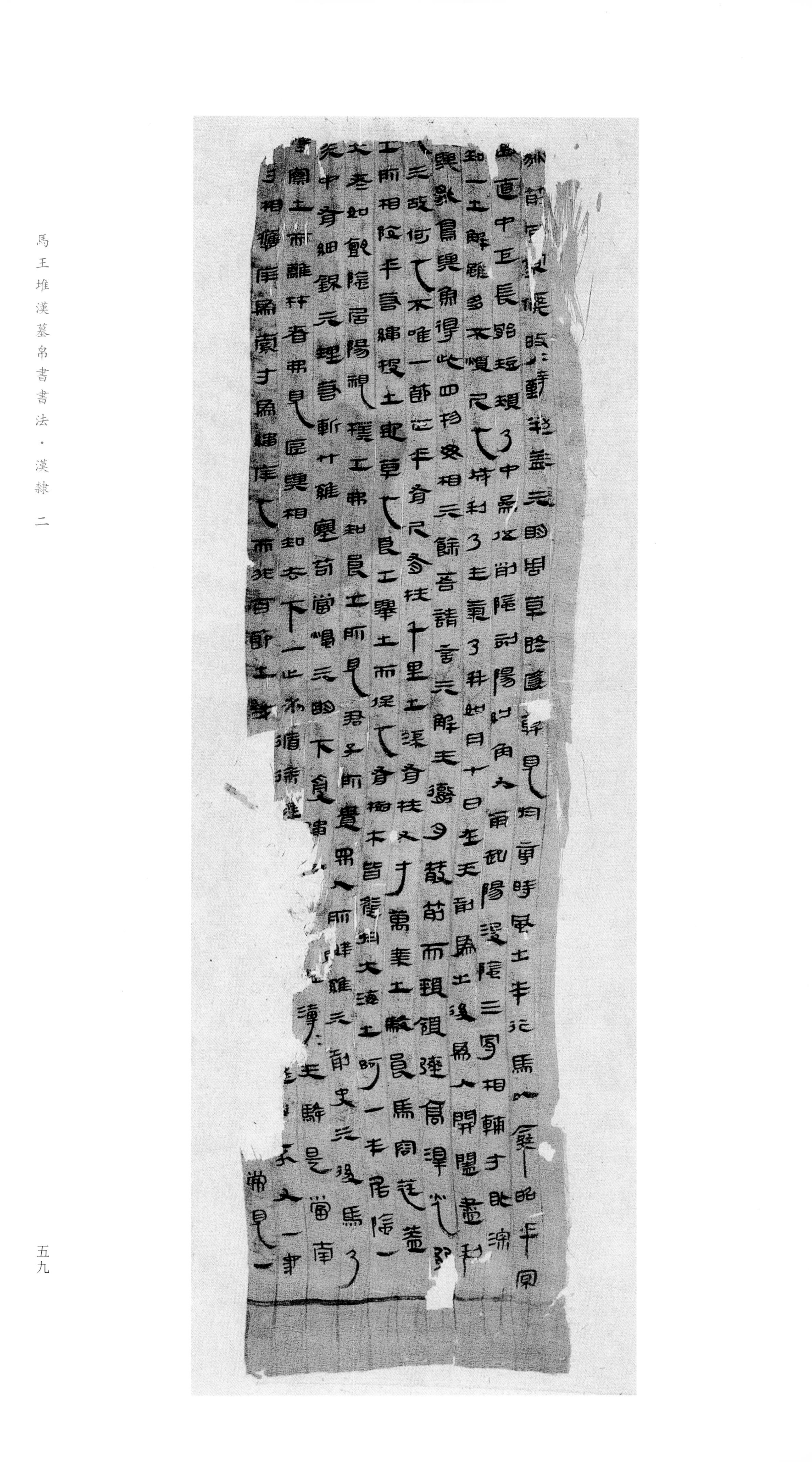

《相馬經》三

實怒乃起實飾□□□□□□□□□見二節國良□勿有見三節爲天下（一行）
斲長如續短如□□□□□□□□□薄澤恒薄以長四肉中度方骨中巨睘骨中規一節□（二行）
以楊葉亡吾法發□□□□□□□□物盡具欲得亓請必道亓門旁有兩渠索而弗得（三行）
產南山之陽正剌爲□□□□□□□□一節良且是胃良保重棗居旁是胃善行壹厭壹起馳千里再厭（四行）
有欲亓希軨弱既短有欲亓耆草間多依薄專于崖草本不見大水盈池伏則棄捐偃木勿規深固（五行）
若羽厭乎亓橫稈莛所臧樸工弗見良工所相馬有此節也剛骨強是胃大良山之陽有縣岡削以深（六行）
垣重亓蓋產於中長外美戈純豐盈大能正直者陰陽察飢而口半而間短而弦長而弧縱陽緩瞻餘（七行）
曼平大容梃江水流行没而无刑水之旁有危封後不厭高外不厭從立不厭直榑不厭方可以馳福（八行）
四馬即棄見五不爲馬又骨長尺三寸爲生爲死直爲牡曲爲牝直勁久有力曲疾走徐息美人陰（九行）
取之毋天下莫如必卿天德亓精乃得逢者亡箴在玉中匿有虫処宮獨挾亓色善戈死=若印（十行）
高而枕之鞍突盈勿令忘之漢水前注不欲雍之烏乎美戈微而臧之（十一行）
角欲長欲約欲細欲危陰欲呈毋肉欲廉故長殺短約殺不約細殺大危殺不危呈毋肉殺厚革（十二行）
没不見者國馬也或約不見至耳下乃起如桃者亦國馬也陰危如繭則命善如棗爲國保如棗覈（十三行）
生如雞椐者朝至莫怒不可止陰陽間虛毋肉者馬不走・角有約束亓約近目殺目亓約束遠目者（十四行）
材久及支能下節徐疾及徵表也匡能博長呈廉橫約盡具此三材具矣國馬也博長者力也（十五行）
前勝伏約勝不約・匡淺而短者一奴也從而不廉者二奴也曲而不約者三奴也𩪋肉欲長欲深（十六行）
焦高前賢庳前𩪋肉薄澤傅骨而毋肉者名曰骨薦國馬也𩪋肉有參畫會於前者命曰□（十七行）

《相馬經》四

□□□□薄尚欲斲之以爲長尚欲□□□□□□□□□□□□薄如（一行）
□□立后當它不求相衣者勿抴臥者勿起駕者□□□□□□□□吾保蓋（二行）
狀台神上爲縣盧下爲纓筋力可以負雲山足可以□□□下少有良工所尊又松（三行）
再起千里之後居吾去子面前有二微後有三齊獸以走魚以流鳥以蜚大田少草（四行）
周密如水在卮既審短長赤黃如積之我=闉浴投谿深溝長渠絕繼潰隄㝵乎（五行）
進以長=必榑短必方大本高本深臧=以大桐以兑吾欲蜚皆未贅前者偈後者拔厚亓（六行）
雖欲毋蜚安得居轉而肉縣而杍蔥龍葉青令羽不飾而弧我而窊窒而盈擅（七行）
可以逃凶守此道者辨陰陽有骨見一又力見二疾走徐息見三千里之極見（八行）
生无百節成疑之涼月絕以棊星天地相薄戚而无刑玉中又瑕縣=如絲連如纑（九行）
以棘希而襄之發而陽之河州无樹己能長之江水前注孰能當之盧首獻=（十行）
遂毛廉殺不廉角成卜者車輪者巨者麋唬者此四章得一物皆國馬也角或（十一行）
天下弗得•陰或壹絕者良馬也再絕者良怒馬也三絕者怒恐不可止矣•陰之（十二行）
陰乃生•角不約者一奴也大而不廉者二奴也蚤枝者三奴也•凡匡角所以相（十三行）
者材氣也橫約者死生也故博勝淺長勝短呈勝不呈廉勝不廉橫勝從高（十四行）
欲澤欲又焦欲高前故長賢短深□淺薄賢厚澤賢不澤又焦賢无（十五行）
□殺獸能□殺上獸谿肉又□□□□畫二以兑會於前者名之曰侯矢之族（十六行）

《相馬經》五

凡畫細者賢大長者賢短深者賢淺𩫖肉〼（一行）
□□淺毛欲毛上逆欲動摇破散高錫之如火之炎故長□□□□□□□匿賢見笞之□□（二行）
纏之如緻索者命曰虎纏良馬也能動摇而錫□□□□□□□益疾錫而洋〻急者笞（三行）
□□走馬也聒〻上下疾者易足不久能動摇散高□□□□□□□不能動摇破散者非走（四行）
奴也不能動摇者三奴也亓會也啟而遠目者四□也·□肉欲急以直欲博欲澤故急賢（五行）
急者如發末涂善前後皆急傅者疾且久帷罔之下傅骨者鐵入目下名曰成維良工皆（六行）
□□□也上相薄會目中者國馬也能錫者善走馬也不能動摇者奴馬也游之奴二緩（七行）
□□□□厚澤賢枯傅賢袁目前賢後曲賢封微肉不傅目而袁目名曰壹居此奴也·凡（八行）
而不走何也是泏而暴者也不泏不暴而不走者何前不能大扜良不能後傅者也大扜（九行）
能反復時見睫本者也能反復時見睫本而不能走者何也是毛不能袁〻除〻而不走者（十行）
變而不良者何也亓起居非者也起居是而不良者何也是不能通利者也通利而不良者何（十一行）
□也亓无光者也有光而不良□□也光淺怒不能周争不能拖者也亓周施是也而不良者何□（十二行）
有法此胃駿鄴·澤□□是胃□□□氣枝馬也理大而短均不澤淳澤不死不生非走馬也·□（十三行）
動也如矢毋□□□□□□□□□緣夬及糾如相□□名曰約羅怒能解約兼官馬也摇能□□（十四行）
與弓疾而□□□□□□□□□殺得矢弦而得□□而衣窮得弓與弦矢近發而□□（十五行）
所胃息陰治□□□□□□□□□□処之多氣有月出亓上半矣而未明者欲目上睘如半（十六行）
□□□□□□□□亓維罔者欲睫本之急〻堅久蘭筋鶩者欲亓如雞目中絬〻者善走（十七行）

凡畫細者睫大長者瞻短深者瞻淺徹多 [illegible]
[illegible]也欲毛上詳欲動搖佈蔽倉錫土如小土淡敢長
雕土如緻廉者命曰命瞻良馬也能動搖 [illegible] 四[illegible]錫而[illegible]急也[illegible]
走馬也睹上下稀者易見不久能動搖蔽倉 不能動搖佈蔽者非[illegible]
睫也不能動搖者三[illegible]也其會也殷而續白者四也。三多欲急以直欲博欲渾故急瞻
急者如[illegible]豐深者前後皆急傳者疾且久帷開土下傳肖者[illegible]人目下名曰[illegible]雒良土皆
也上相薄會目中者國馬也能錫者善走馬也不能動搖者[illegible]馬也[illegible]土[illegible]二[illegible]
直渾瞻枯傳瞻素目前瞻後幽瞻封徹多不傳目而素目名曰重居此[illegible]也。[illegible]
而不走何也是溢而暴者也不溢不暴而不走者何也前不能大抒此不能收傳者也大抒
能反復時見睹手者也能反復見睹手而不能走者何也是毛不能[illegible]際際而不走者
駿而不良者何也其動居非者也動居是而不良者何也是不能調利者也調利而不良者[illegible]
也其夫必者也奇必而不良 [illegible]也必洋婦不能周象不能抑者也其周掩是也而不良者何
[illegible]治此胃駿鄴。[illegible]是胃 氣枝馬也理大而短均不渾復渾不死也不土非走馬也。[illegible]
重也如夫多 [illegible]史多約如[illegible]目絅麗婦也能解絢兼宙馬也搖能
[illegible]與弓稀而[illegible] [illegible]得夫張而[illegible]而代也閑得弓與張夫訢蔽而
所胃帛隱治[illegible] [illegible]土多氣育目土其土至吳而未因者欲目上具如[illegible]
其維開者欲睫手土急急睫久爾前驚者欲其如雛目中眩眩者善[illegible]

俯夕
土滋或長　員瞳目
敢倉
自者四也·夕欲急直欲博欲澤故急瞳　不能動搖耶敢者兆
久雕冏土下傅肓者猶人目下名曰茈淮員工皆
錫者善走馬也不能動搖者善馬也游土婦二
瞳封徹夕不傅目而袁目名曰垂居此婦也·
三　不能大　不能及傅者也

《相馬經》六

□□益俞衰脀肉有晝三野毋禽五還歙雅九爲天下保能高鍚薄脀久毋下（一行）
馬也能博能淺能短能長善走馬也脀肉之奴四短者一奴也厚革遂毛者（二行）
賢淺薄賢厚澤賢不澤游肉前急傅而後不傅者未涂不善前緩（三行）
大逐游肉下委肉有實晝一逮水二晝中水三晝上水游肉孰之能鍚上（四行）
者一奴也維岡之下肉不能動榣鍚者二奴也•微肉欲薄欲澤欲傅欲前（五行）
□□□四夬前衡肉也上脀肉也下游肉也後微肉也•法曰良大盈大走小盈小走（六行）
而不走者何也是光澤不善而動榣稺者也有光澤動榣疾而不走者何也是（七行）
糾不能戔匿垌均竟後怒狄筋不趮動不能半復良者也法曰能爲變者良（八行）
良不能進退者也進退而不良者何也是不能威芒數死生者也亓死生是也不（九行）
□□不得=而不良者何也主人不勝客者皆是而不良者何也亓静趮无所法者故曰（十行）
□所出眹毋所生本毋所冬末有所骰非良馬也久走馬之埶陽能厚能長能陰能陽亓（十一行）
犀天下莫若中居者物欲爲之而无能善也得弓而不得弦矢強而不發徒得矢而不得（十二行）
殺皆得矢弦弓走疾而不窮（十三行）
有君臺者欲目上如四榮之蓋下又逢芳者欲陰上□□□久旁又積纓者欲（十四行）
冥爽者欲艮中白者盼細而赤=多氣周草者居目□□□□□□□必成=爲（十五行）
□□□者善走瘛乎若処而比離之台簣者欲□□□□□□□□□相復者（十六行）

[illegible]前參庳兮有盡三睉以有五禄聝雖九爲天下保能高鴟溥庳入以下

[illegible]也能博能泽能短能長善之馬也庳兮土[illegible]四短者一[illegible]也良車[illegible]也者

頤泽溥頤良泽頤不泽游兮前亓傅而後不傅者未流不青前[illegible]

眞[illegible]游兮下垂兮有實盡一肄小二畫中小三畫上小游兮明土能鐫上

者一[illegible]也雖闔土下兮不能堅搖鐶[illegible]二奴也·徹兮欲溥欲泽欲傅欲前

[illegible]史前衛兮也上庳兮也下游兮也徹兮也·流曰能大扁土之小扁小之

而不走吾何也是以泽不善而堅搖捭者也有以泽堅搖疾而不走者何也是

約不能對[illegible]扁[illegible]也後婦[illegible]前不歸堅不能徐復能者也·流曰能爲變者良

能不能徒促者也徒促而不良者何也·是不能成亓體死生者也亓[illegible]生是也不

[illegible]得之而不良者何也生·不勝容者皆是而不良者何也亓結錯生也所流者故已

所土勝以所土丰以所冬未有所繫非良馬也入在馬土勤陽能廣能長能陰能陽亓

[illegible]夫下莫善中居者[illegible]欲爲土而乇能善也得弓而不得弦夫强而不發徒得天而不得

報皆得夫弦弓之術而不爾

有君臺者欲目上如四開土盖下又鋒于者欲陰上 入事又積腰者欲

[illegible]窮爽者欲眇中白者眇細而赤赤多氣名草者居目 [illegible]成[illegible]爲

者善之術也乎善册而比雖土色黄者欲 相復者

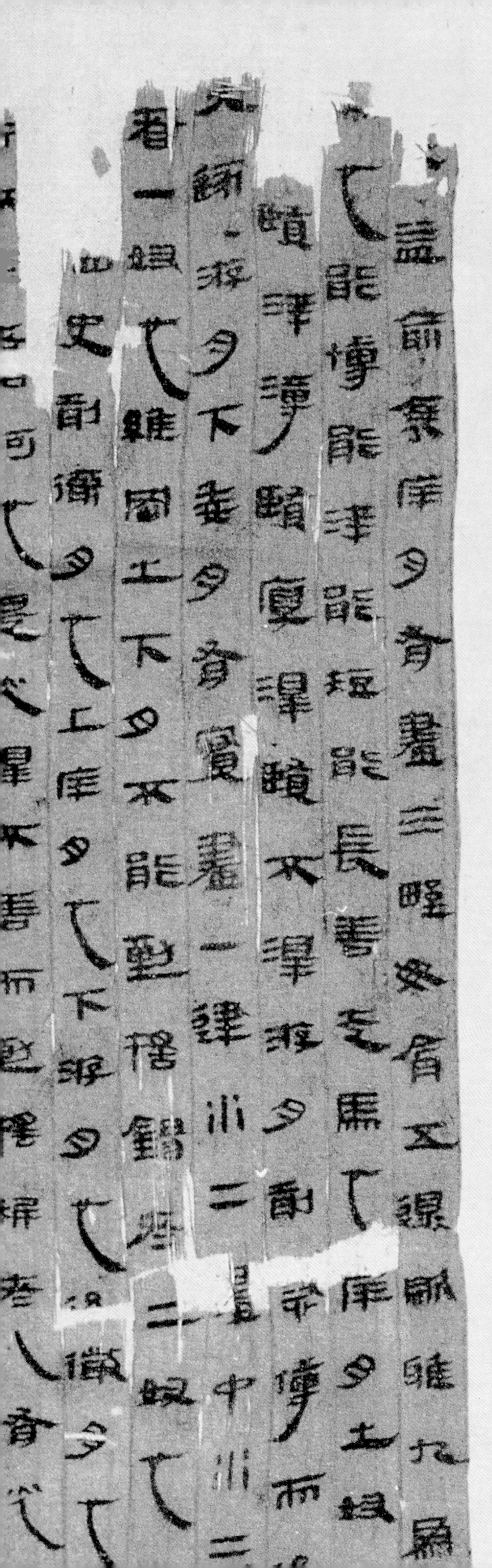

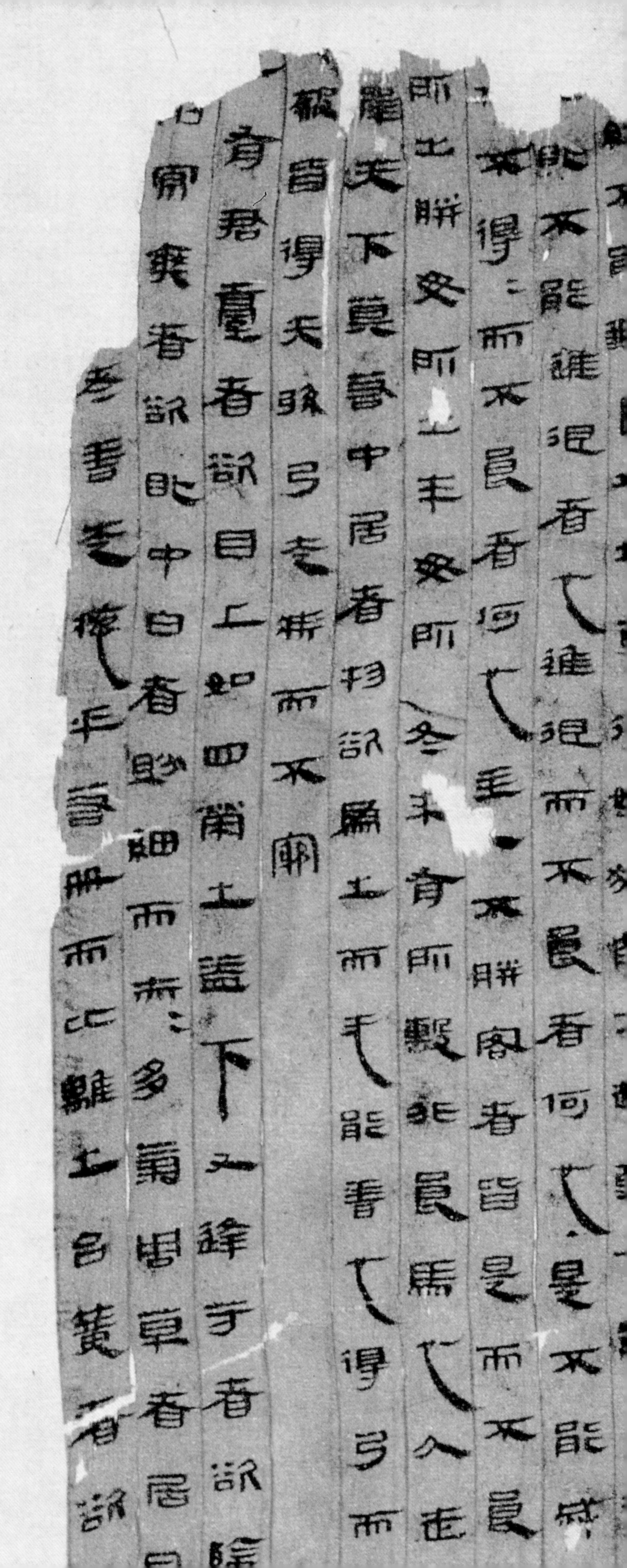

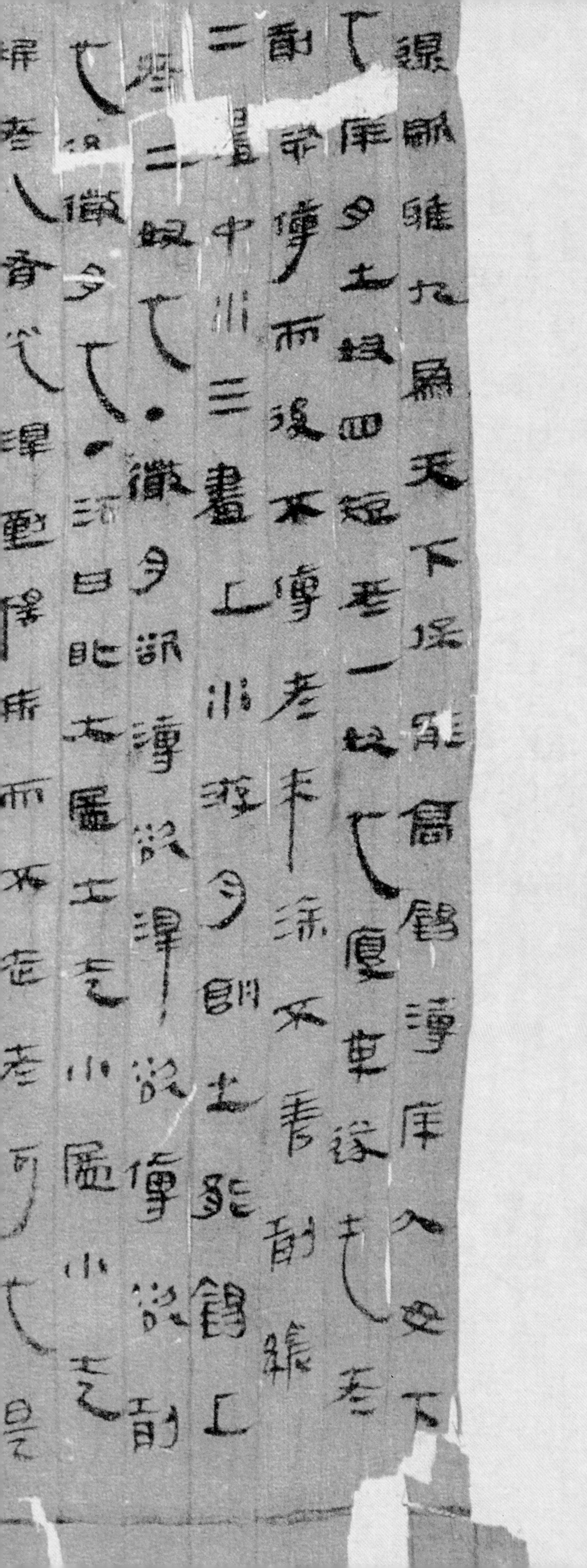

《相馬經》七

□□□□□□□□□□善行則陽者欲陽高=而捧=掔=善走糾角有雨者欲角下（一行）
□□□□□□□□□色清明亓狀類怒前有盧首者欲目上匡骨之前□（二行）
良中有畸精得□□□□□□□□□欲薄而有甑堅久如月七日天者前若夬之胃也多（三行）
會=又材前有三齊者前夬中有□□名曰寸見卦即曰三齊善走有二微者後夬也一寸二寸三（四行）
草與亓耳與亓肫欲得鳥目與頸癠欲得魚之耆與膭吾請言亓解此夫𧮯肉者欲大肉（五行）
方爲兑者欲前夬之兑=多利斬短者欲睫之短也續長前後之夬皆欲長=善走損陜益廣（六行）
者從陽睫本上到匡骨上欲見扶良馬容挺者皆目旁之卦也皆爲材亓榣數爲利弗剆弗（七行）
工所相陜乎若繩投之地草也良工舉之而保也此皆前後之夬也弗剆弗久薾然又朕又骨朕（八行）
大海□□者睫欲希=堅久良馬成亓次成方者皆□□也上又刻盧者欲匡骨充盈=又材中又（九行）
□盧見骨材中有細錄理若斬竹者欲良理之有□多氣雍塞當者欲前後夬𧮯=多利受繩（十行）
南山有木上有松柏下有崖石上甚方以兑者欲陽上之兑如松柏善行下甚廣以大者欲陰=大善（十一行）
也欲角之枝如書卜去下一止必循徐理者後夬也欲頯骨之毋=與=角=會=多利下有復盛者陰也欲（十二行）
舉堅久池上有隄=上有棗=㲈實者角也欲角上之如棗=㲉=有材庨爲索者卦從前夬中出而上=（十三行）
材上有君臺者隄上欲亓如=四=榮=之=蓋=多力下有逢室陰甑堅久登熏薄於天有一風穴者目也目（十四行）
里實怒乃起者欲陽上捧掔千艮乃榣=善走艮節不榣堅久實飾毋怒山木未知所止所胃見一節良（十五行）

《相馬經》八

□□多氣下〼（一行）

□基〻善行起陽者欲目上之多肉没陰者欲陽 〼（二行）

揨〻挈〻到〻目上善走從軌者揨挈必高乃能見□□□□□□□臧保者（三行）

氣開闔利庰且安卒者揨挈之善走庰者庰也從前□□□□□□□乃與鵠絶（四行）

寸者欲亓卦長〻善徒得兔與狐鳥與魚者欲得之頤與亓肩欲得狐周（五行）

毋〻傰〻善�散筋者欲諸筋盡細〻多利澤光者欲目旁之澤毋〻毛〻多氣折（六行）

前後之夬皆欲長而兑尺者在陽睫本上卦從前夬中出上到後夬乃成尺扶（七行）

久薾然又朕又骨而朕又肉章肥不戚翟亦不亡是胃大良出於澤登於陵良（八行）

又肉章者欲亓骨除毋〻毛〻多氣登於陵者欲前夬之前〻舉〻多氣又樹産於（九行）

英者艮也雍蒙别環者陰〻甀〻堅久夬亓前後者夬也十焦者欲目上見（十行）

者目下睫本直上正方者欲陽上〻如四榮〻之蓋多力睫薄〻天者欲睫之舉堅久（十一行）

行直剌爲良旁剌爲敗者睫〻欲直〻願去下一崖又一付枝遠望之轉察之而離者角（十二行）

亓狀如盛蓋堅久上有偃臼玄也欲亓如〻臼〻堅久衷又一池者目也旁睘以草者欲睫（十三行）

乃有下曲〻有材寸爲繩者前夬之卦爲□□一見二見三見四者皆禁〻夬〻也〻爲（十四行）

欲高〻有材中甚深固外甚周密者欲艮之□堅久風喬然動蚩華轉實華蚩千（十五行）

且久見二節國良勿有見三節爲天下□者陽上卦〻正上出者又材見一曰鵠絶見（十六行）

續之前後之夬也此皆不龐長〻善走爲短尚欲蹶之者睫不厭短〻轉厚（十七行）

多氣下

奎=善行起陽者欲目上去多夕汲陰者欲陽

揮=桀=目上善走從動者揮桀弋食多眉臭[illegible]撼保者

開闔利庫且内走者揮桀去善走庫者庫弋從前[illegible]聯駘純

孑者欲元卦長=善徒得泉興象鳥興角者欲得[illegible]土四興元易溉得數官

安=循=善綢論藏節者欲蛙節蚤細=多盈渾弋者欲目尊上渾安=毛=多氣折

前後上史皆欲長而乏尺者在陽睫手上卦從前史中土上至後史多求尺扶

人[illegible]繳之駢之肓而駢之多章死不滿睨夫不止是思大艮出歸渾熒歸陵艮

人欠多章者欲元肓除安=毛=多氣熒歸賤者欲前史上前=舉=多氣人樹雀歸

更者眇弋雖蒙剛環者睫=飲=睦入史元前後者史弋十焦者欲目上見

者目下睫手直上正寸者欲陽上=如四㡀=上蓋多才睫漳=天者欲睫上舉啟人

[illegible]直利爲艮甬利爲眇者睫=欲直=原弋吝下一崖之一付枝遠睦土轉廓土而雖者肉

[illegible]羽如筵善睦入上育偃凶言弋欲元如=凶=睦入東之一由者目弋享景之草者欲睫

[illegible]夕育下幽=育林寸爲縛者前史土卦爲[illegible]見二見三見四者皆禁=史=弋=爲

欲倉=育林中甚深固外[illegible]周胸者欲北土[illegible]睦入宮疊然匙指章轉實章指千

皇入見弋二節國艮多育見弋三節爲天下者陽上卦=正上土者之卉見弋一目駘純見

[illegible]土前後土史弋此皆不龐長=善走爲短尚欲距出者睫不廢短=轉原

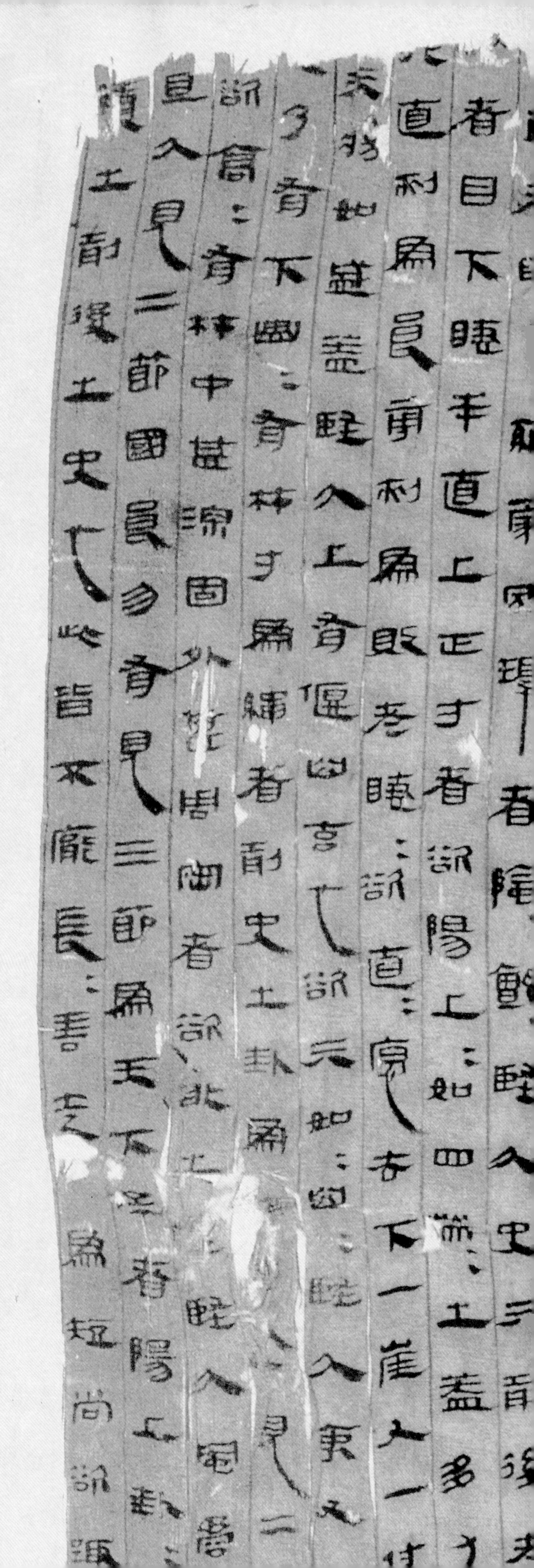

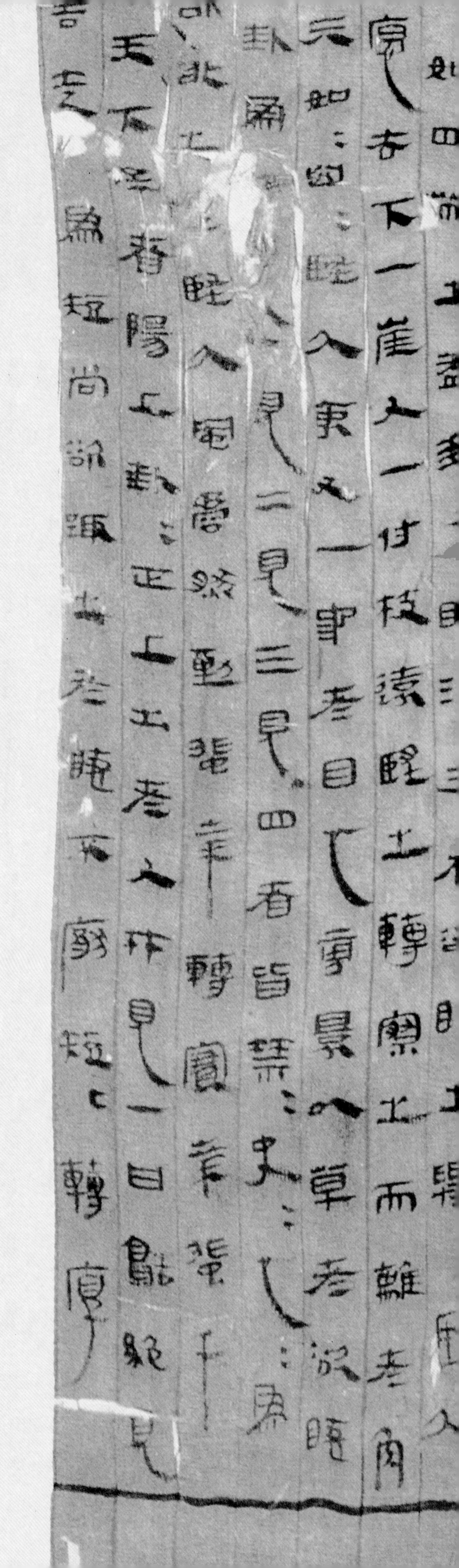

《刑德》乙篇 一

德始生甲∟大陰始生子∟刑始生水=子故曰刑德始於甲子（一行）刑德之歲徙也必以日至之後七日之子午卯酉德之徙也子若午∟（二行）刑之徙也卯若酉刑德之行也歲徙所不勝而刑不入宮中居四隅（三行）甲子之舍始東南以順行廿歲而壹=周=而刑德四通六十歲而周=於癸亥（四行）而復從甲子始·刑德初行六歲而并於木四歲而離=十六歲而復（五行）并木大陰十六歲而與德并於木·刑德六日而并斿也亦各徙所不勝（六行）刑以子斿於奇以午與德合於正故午而合子而離·戊子刑德不入中（七行）宮徑徙東宮戊午德入刑不入徑徙東南宮其初發也刑起甲子德（八行）起甲午皆徙庚午居庚午各六日刑徙丙子德徙丙午居各六日皆（九行）并壬午各六日刑德不入徑徙甲午各十二日刑徙庚子德徙庚午各六（十行）日皆徙丙午各六日刑徙壬子德徙壬午各六日德徙戊午刑不入（十一行）中宮徑徙甲子德居中六日徙甲午□□□子□二日德居甲午六（十二行）日刑德皆并復徙庚午單欲倍□□□□□□□（十三行）·刑德徙以子午爲衝∟未除寅□□□□□□□□□□其（十四行）

《刑德》乙篇 二

以午徙也子爲衝丑爲除午□□□□□□□□□□□□除（一行）
與衝以奇用兵其後无央非□□□□□□□□□刑（二行）
德勝取地大火可以火兵伐邑便□□□踐山破□（三行）
•辰戌日奇入月五日奇十七日奇廿九日奇不受朔者歲奇得三奇以（四行）
單雖左迎刑德勝•德在木乙卯爲根在金辛柳爲根在火丙午爲（五行）
根在水壬子爲根在土戊戌爲根凡雖倍刑德勝不取地（六行）
•凡均始司成四極司生二根司殺乙卯丁未辛酉癸丑四極也卯酉二（七行）
根也雨之則吉風寒有氣凶（八行）
•倍刑德單勝拔國•倍德右刑單勝取地•左德右刑單勝取地•左（九行）
德倍刑單勝取地•倍德左刑單勝不取地•倍刑右德單勝不取地•（十行）
右德左刑單敗不失大吏•右刑德單勝三歲將死•左刑德單半（十一行）
敗倍刑迎德將不入國如入有功必有後央不出六年還將君王•（十二行）
倍德迎刑深入眾敗吏死•迎德右刑將不入國•迎刑德單軍大（十三行）
敗將死亡•左刑迎德單敗亡地•左德迎刑大敗（十四行）
•大陰□□□□□□陰四合勝刑德（十五行）
•凡以風占軍吏之事子午刑德將軍□未豐隆司空寅申風柏（十六行）
候卯酉大音尉辰戌雷公司馬巳亥雨師塚子各當其日以奇（十七行）

[illegible]

單閼左迎刑德并。德在木乙卯為禍，在金辛酉為禍，在火丙午為

禍，在水壬子為禍，在土戊戌為禍也。雖倍刑德并，不敗也。

凡坩始司歲四極，司生二根，司殺乙卯、丁未、辛酉、癸亥四極也。卯酉二

根也。用土日吉，冒息，對氣凶。

倍刑德單，并攻國。倍德合刑單，并敗也。左德合刑單，并敗也。左

德倍刑單，并敗也。倍德左刑單，并不敗也。倍刑合德單，并不敗也。

合德左刑單，敗，不失大吏。合刑德單并三歲，將死也。左刑德單年

敗。倍刑御德，將不入國，北入有功，亓有復內，不出六年，得將君王。

倍德御刑，流入眾敗，吏死。御德合刑，將不入國。御刑德單率大

敗，將死也。左刑御德單，敗也。左德御刑大敗

大陰 [illegible] 陰四倉并刑德

也。[illegible]

[illegible]

《刑德》乙篇 三

•雷公發氣□□□死者暴風雨至•□□□□□□□（一行）
隆發氣至大音不雨司空起土攻雨吉•風伯發氣至刑德不（二行）
雨歲有暴亂疾風傷歲•雨師發氣歲又米至刑德不雨歲（三行）
□□實•德□□□□雨之稼稅雨吉不雨兵起在軍單•刑（四行）
發氣至□不雨兵□在軍單雨吉•大音發氣不雨兵起在軍＝（五行）
益雨吉•大□□□奮田兵穀必有死亡之將（六行）
•德在土名曰不明四時以閉君令不行以此舉事必破毀亡雖勝（七行）
有央取人一畝賞以百里殺人奴婢賞以敵子（八行）
•德在木名曰招榣以□舉事眾心大勞君子介而朝小人負子（九行）
以逃事若已成天乃見祆是胃發筍先舉事者地削兵弱（十行）
•德在金名曰清明求將繕兵先者□後者亡攻城伐邑將（十一行）
衛有慶而无後央（十二行）
•德在火名曰不足以此舉事必見敗辱利以侵邊取地勿深＝（十三行）
之又後央（十四行）

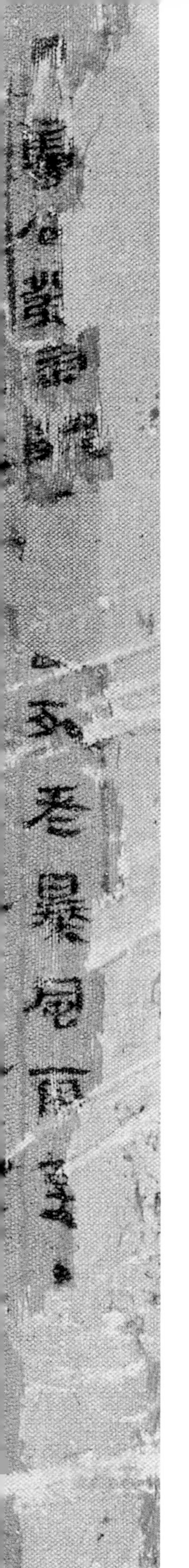

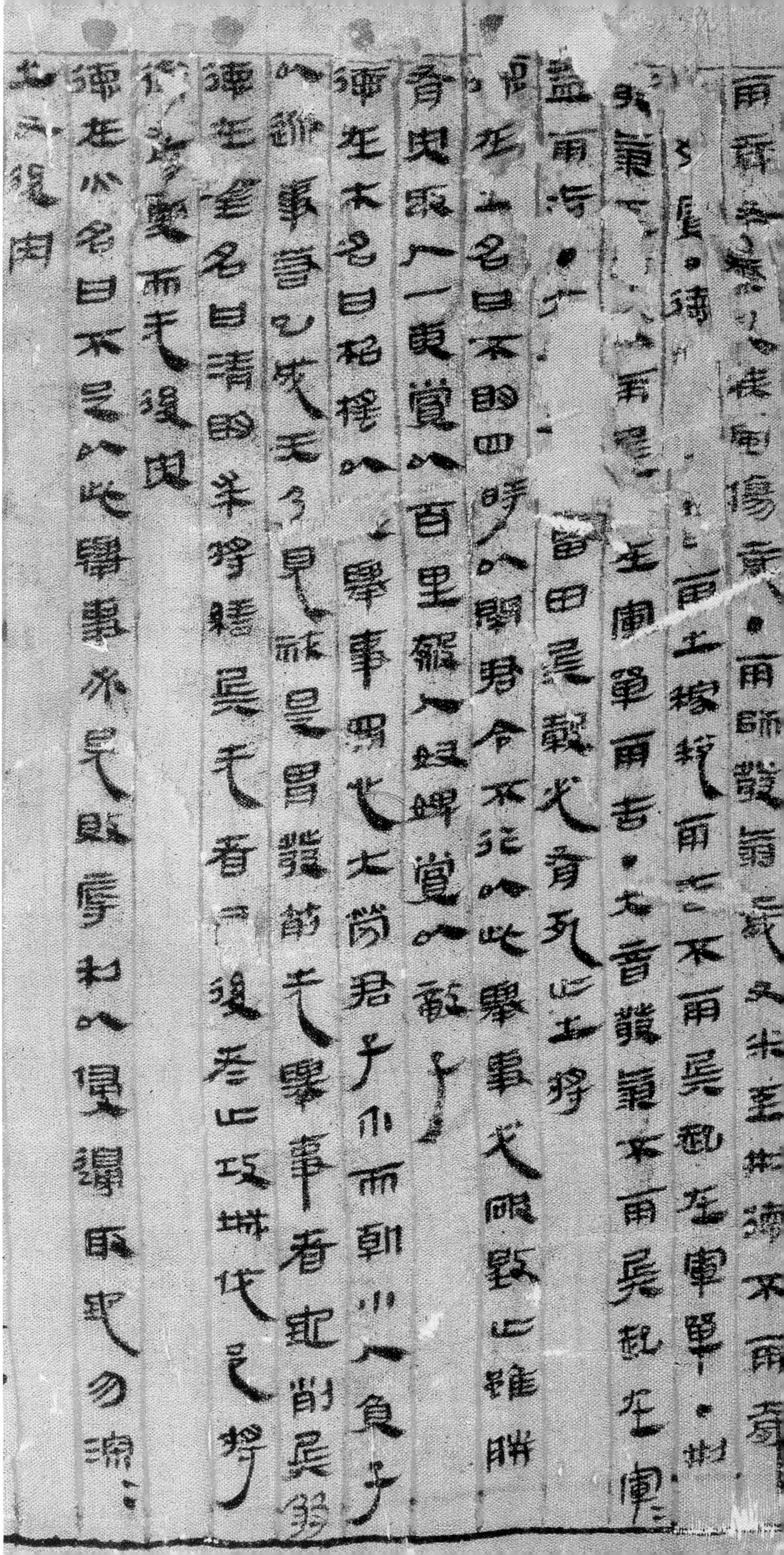

《刑德》乙篇 四

•德在水名曰陰鐵以此舉事其行不疾是胃不果必毋迎德（一行）
以地五年軍歸迎之用單眾多死（二行）
謹司三戊以觀四旁戊午戊子戊□□□□□□□□□（三行）
雲帚雲若清寒疾風僇殺暴□□□□□□□□□□（四行）
也單城邑兵起其當甲□□□□□□□□□□□（五行）
駕卅其當丙丁四旬三日駕□□□□□□□□□□（六行）
癸斿日決不用數（七行）
•凡占單之道必以戊戌之奇風至于折□□室劓礫石也單其（八行）
甲也歫雞鳴以至市行則旬八日而單」市行至日下涓五旬五（九行）
日歫下涓以至静人則四旬三日歫静人以至雞鳴則三旬一（十行）
日而單至于癸卯之日而雨則不單」戊戌不風○而見白（十一行）
雲其狀如困如屋厚方東南行則九旬二日而單癸卯（十二行）
雨不單各當其時以蚤莫次其日數以知單緩急以五（十三行）
夜之昏至於静以見玄鳥於斗旁雖癸卯雨猶氏必（十四行）
單也（十五行）

《刑德》乙篇 五

□□主人出單不勝城拔月大椐有光主人出單月七日不弦主人將死月北頃陰國得地月椐（一行）

□□三復之主人出單勝月軍二重倍潏在外私成外倍潏在中私成中月比其國憂（二行）

□前辟人死月旬五日不盡其國亡地月光如張蓋其國立君三夾之其國立將軍上（三行）

侯月食其國貴人死用兵者從所者攻之勝得地日左耳左國又喜日右耳右（四行）

軍〓畏日連軍人主□遇盡白大和盡赤兵起□□□□得地多日重（五行）

軍罷未講也日開軍罷未講也日中軍耳割地城日前有黃帝之申壹又二大（六行）

軍大單客不勝日徒毋光主人不勝□月毋光主人不勝朝日〓軍〓急莫日〓（七行）

而發日軍九重天下有立公柏日食爲王月食爲后日唇食所以知之康風如食（八行）

營或入月中所宿其國内亂大正入月中主人大勝藩兵（九行）

□軍單矣東風而講雨厭之軍卻舍某至丙子復司之春甲子夏丙子秋（十行）

雨至癸丑單攻城者如是以壬戌癸亥雨軍講辛卯雨兵在邑又敬在野（十一行）

□將」庚子雨便將死壬子雨王死甲子雨至十月而將死雨而不雷以白衣城雨（十二行）

土單不勝城拔月大稽有咎亓人土單日十日不復至人將死

三復土三人土單勝月車二重搭牆在外知戍外搭牆在

節降人死月句五三不盡亓國亡之月咎奴張亓亓國亡君三

延月食亓國貴人死甲乙者從所者攻土勝退之走日左有

軍畏日連圍人亂 竭盡白衣地還之化

軍竊者勝也曰開于竈未雖也曰中渴耳仰武城曰鄣

圍大覃客不勝曰徙多也主人不勝赴自受也主人不勝

而讙曰圍九重天下有在公相曰食易王之代爲后曰書食

則人月中所篇亓國內也大正人月中主人大勝播兵

也圍單義東向而讙有廢土軍卻舍某至丙子復自

至柴丑單攻城奪邪是以王也癸亥有軍譯章北有

嬰·乘子有復將死王子有主死甲子有至十月而將死

□也其人主單日十日不除主人將死月北填陷國得地月棍

十二重搭禍在外知也外搭禍在中知成中月比其國憂

國止定月也然張其元國止君三夾土其國止得寄止

者從所居攻土勝得之定日左有反國之喜日者日者

益白其如鑿□□□三乃……

未讎也日十陽耳陵也城日勁之……黃帝土甲童之二文

也主人不勝其白客也主人不勝郭日軍軍庳草日

名相日屋爲王乃也爲后日營屋所以知土重旬如屋

也大正人月中主人大勝播兵

廟土軍卻舍某至丙子復司土春甲子蟲丙子

也以王也癸亥丙寅辛北丙辰左己也甑左毗

子而王死甲子而寅青而將死也丙而不醫以白分城丙

《刑德》乙篇 六

□三歲乃已（一行）

大風剸=入邑=憂入軍=憂若出兵隋之以其時期之朝日甲乙發食時丙丁發張（二行）

風而雨軍事益急西風日出旬三日軍罷諸月上旬見降壹出東方至旬復（三行）

軍氣青白而高軍單勝軍氣赤而高軍大摇軍氣黑而卑浚戟用見乃毋居（四行）

□康赤者下又溜血（五行）

□□□□（六行）

□□流血之單歲十二月露雨至不有流民必有兵少□□□□□□□□（七行）

□□工其前方西方入淺而无功□□半迹者旬二日□□□□□□□（八行）

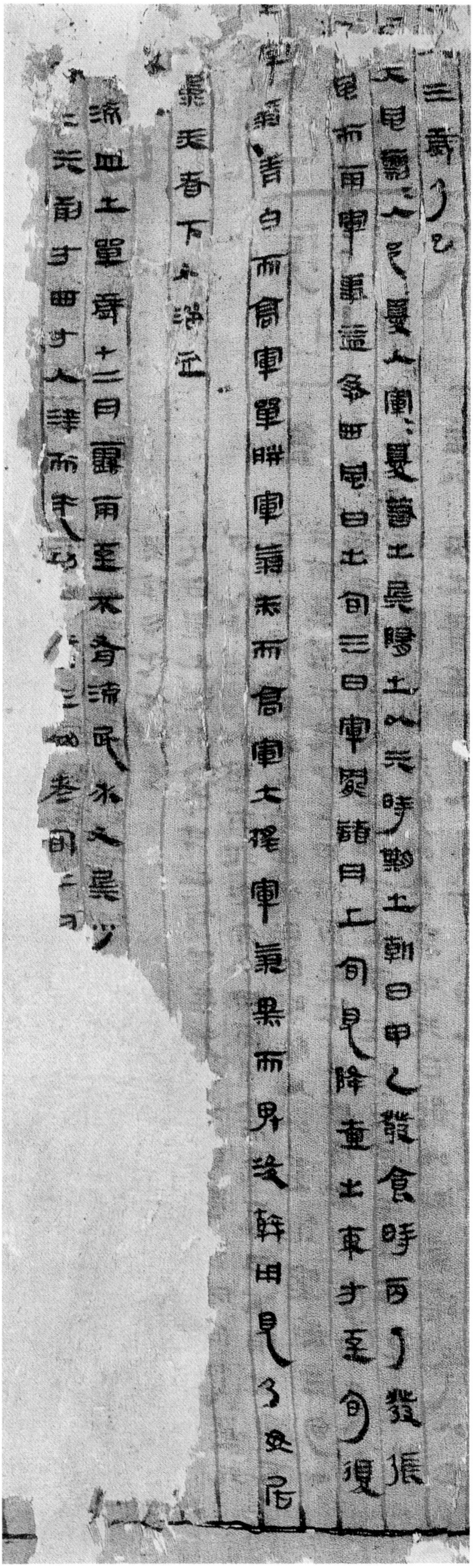

《五星占》一

東方木其帝大浩其丞句巟其神上爲歲星歲處一國是司歲□□星以正月與營=晨（一行）
三月與胃晨出東方其名爲執徐・其明歲以四月與畢晨□東方其名爲大巟□（二行）
爲汁給・其明歲以七月與張晨出東方其名爲芮・其明歲□八月與軫晨出東方其（三行）
□□其名爲大淵獻・其明歲以十一月與斗晨出東方其名爲困敦・其明歲以十二月與虛（四行）
□□□而周皆出三百六十五日而夕入西方伏卅日而晨出東方凡三百九十五日百五分（五行）
羊廿五年報昌進退左右之經度」日行廿分十二日而行一度」歲視其色以致其（六行）
列星監正九州以次歲十二者天幹也營室聶提格始昌歲星所久處者有卿（七行）
其國失德兵甲嗇=其失次以下一若二若三舍是胃天維紐其下之□憂□其失（八行）
下大水不乃天列不乃地動」紐亦同占視其左右以占其夭孽其所當處而（九行）
野有卿受歲之國不可起兵是胃伐皇天光其不從其陰大凶央歲星出□□（十行）
部退而西北乃生天鑒退而西南乃生天盇皆不出三月見其所當之野其（十一行）
天部在東南其來類星其來焦長可四尺是司雷大動使□毋動司反（十二行）
慧星在東北其本有星末類慧是司失正逆時生□□者駕之央其咎大（十三行）
天鑒在西北長可數丈左右焦是司殺不周者駕之央其咎亡主□走（十四行）
天岑在西南其本類星末庸焦長可丈是司□□□□□□□□□（十五行）
其出而易立〼其咎失立（十六行）

司木其帝大浩其丞句巟其神上為歲星歲
三月與胃晨出東方其名為執徐·其明歲
〼十〼·其明歲以首與張晨出東方其名為
〼名為大淵獻·其明歲以十二月與〼晨出
而〼〼晨出三百六十又日而夕入西方伏卅
年廿又年〼晨〼退任言之經度曰行廿〼
〼皇輪西大州以尔歲十二者天〼也〼〼

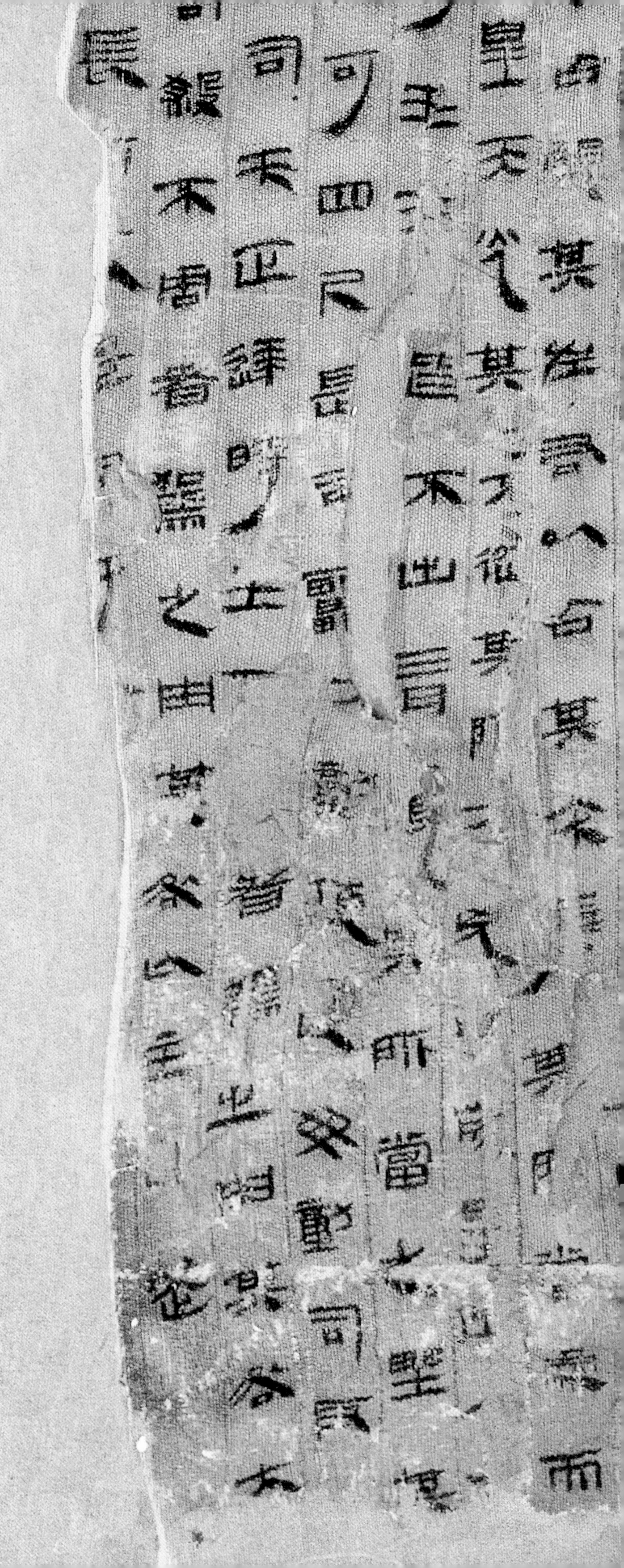

《五星占》二

年其國伐而亡蝕大白不出九年國有亡城強國戰不勝〼（一行）

凡占五色其黑唯水之年其青乃大幾之羊〼（二行）

星居維宿星二˪大陰居中辰一˪歲星居中宿星〼（三行）

界皆十二歲而周於天地大陰居十二辰從子□□□□其國□可斂入其□（四行）

短命（五行）

南方火其帝赤帝其丞祝庸其神上爲□□□□无恒不可爲□所見之（六行）

其出東方反行一舍˪所去者吉所之國受兵□□營或絕道其國分當其野□□（七行）

環繞之入央甚其赤而角動央甚營或所留久者三年而發其與它星遇而□□（八行）

黑芒北方之國利之˪青芒東方之國利之黃芒中國利之（九行）

□□營或於營室角畢箕˪營或主˪司天樂淫於正音者〼（十行）

□□夏其日丙丁˪月立隅中南方之有之（十一行）

中央□其帝黃帝其丞后土其神上爲填星實填州星歲〼（十二行）

往之野吉得土填之所久處其國有德土地吉填星司失〼（十三行）

孫子毋處中央分土其日戊己月立正中〓國有之（十四行）

北方水其帝端玉其丞玄冥□神上爲晨星主正四時春分效婁夏至〼（十五行）

月蝕其出免於時爲天夭□□星其出不當其效其時當旱反雨當雨反旱〼（十六行）

孟王者出其下出四季大秏敗˪凡是星出廿日而入經也□□廿日不入□□（十七行）

靜也辰星側而逆之利側而倍之不利曰大鑿是一陰一陽與〼（十八行）

其見而速入亦不爲羊其所之侯王用昌˪其陰而出於西方唯〼（十九行）

之侯王用昌˪曰失匿之行壹進退无有畛極˪唯其所在之〼（二十行）

者其國伐而亡諸大白不出九年國有亡城隨

气白五門其黑唯北土年其青多大雙土年

星居維宿星二大陰居中度一歲星居中宿

取皆十二歲而周行天地大陰居十二辰紫子

短命

南方火其帝赤帝其丞祝融其神上爲

其出東方反行一舍所去者吉所之國受

環繞之入內數其赤而白動出其營或所留久

黑之北方之國利之青色東方之國利之黃色

《五星占》三

□□著扁將戰并光大戰月陷大白有□國營或□□陰國可伐也月□□（一行）
白猶是也殷爲客相爲主人將相禺未至四五尺其色美孰能怒〻者勝□（二行）
主人利兼出東方利以西伐殷與相遇未至一舍殷從之疾客疾主人急（三行）
凡五星五歲而壹合三歲而遇其遇也美則白衣之遇也其遇惡則□（四行）
也殷者金〻與木相正故相與殷相犯天下必遇兵□者金也故殷（五行）
壬戌˪大白與營或遇金火也命曰樂不可用兵營或與辰星遇水火（六行）
之殺扁將營或從大白˪軍憂離之軍□出其陰有分軍˪出其陽有□（七行）
始出以其國日觀其色〻美者勝當其國日獨不見其兵弱三有此其國（八行）
十日入十日其兵死百日當其日而大以其大日利˪當其日而小以小之（九行）
爲陽國中旬爲中國˪下旬爲陰國審陰陽占其國兵大白出辰˪陽國傷（十行）
□□是胃犯地刑˪絶天維行過爲圍小暴兵將多˪大白出於未陽國傷（十一行）
□□戌陰國傷出亥亡扁地出西北維在日月之陰〻國之將傷˪在其陽利（十二行）
將傷˪在其陽利出寅陰國傷大白出於酉入卯而兵□□□在從之南（十三行）
日南陽國勝夏分在日南至日夜分陽國勝˪秋分在日□陰國勝越齊（十四行）
韓者秦趙之陽也秦者翟之陽也以南北進退占之˪大白出恒以丑□（十五行）
之˪司失獻不教之國駕之央其咎亡師（十六行）

《五星占》四

正月與營室晨出東方二百廿四日以八月與角晨入東方（一行）

浸行百廿日以十二月與虛夕出西方取廿一於下（二行）

與虛夕出西方二百廿四日以八月與翼夕入西方□（三行）

伏十六日九十六分與軫晨出東方（四行）

以八月與軫晨出東方二百廿四日以三月與茅晨入東方余七十八（五行）

浸行百廿日以九月與□□出西方三（六行）

以八月與翼夕出西方二百廿四日以二月與婁夕入西方余五十七（七行）

伏十六日九十六分以三月與茅晨出東方四（八行）

以三月與茅晨出東方二百廿四日以十一月與箕晨□□方（九行）

浸行百廿日以三月與婁夕出西方余五十二（十行）

□□月與婁夕出西方二百廿四日以十月與心夕入西方　五（十一行）

□十六日九十分以十一月與箕晨出東方取七十三下（十二行）

以十一月與箕晨出東方二百廿四日以六月與柳晨入東方　六（十三行）

浸行百廿日以九月與心夕出西方取九十四下（十四行）

以九月與心夕出西方二百廿四日以五月與東井夕入西方　七（十五行）

伏十六日九十六分以九月與=鬼晨出東方（十六行）

以六月與輿鬼晨出東方二百廿四日以正月與西壁晨入東方余五（十七行）

浸行百廿日以五月與東井夕西出西方八（十八行）

以五月與東井夕出西方二百廿四日以十二月與虛夕入西方（十九行）

□□六日九十六分以正月與東壁晨出東方（二十行）

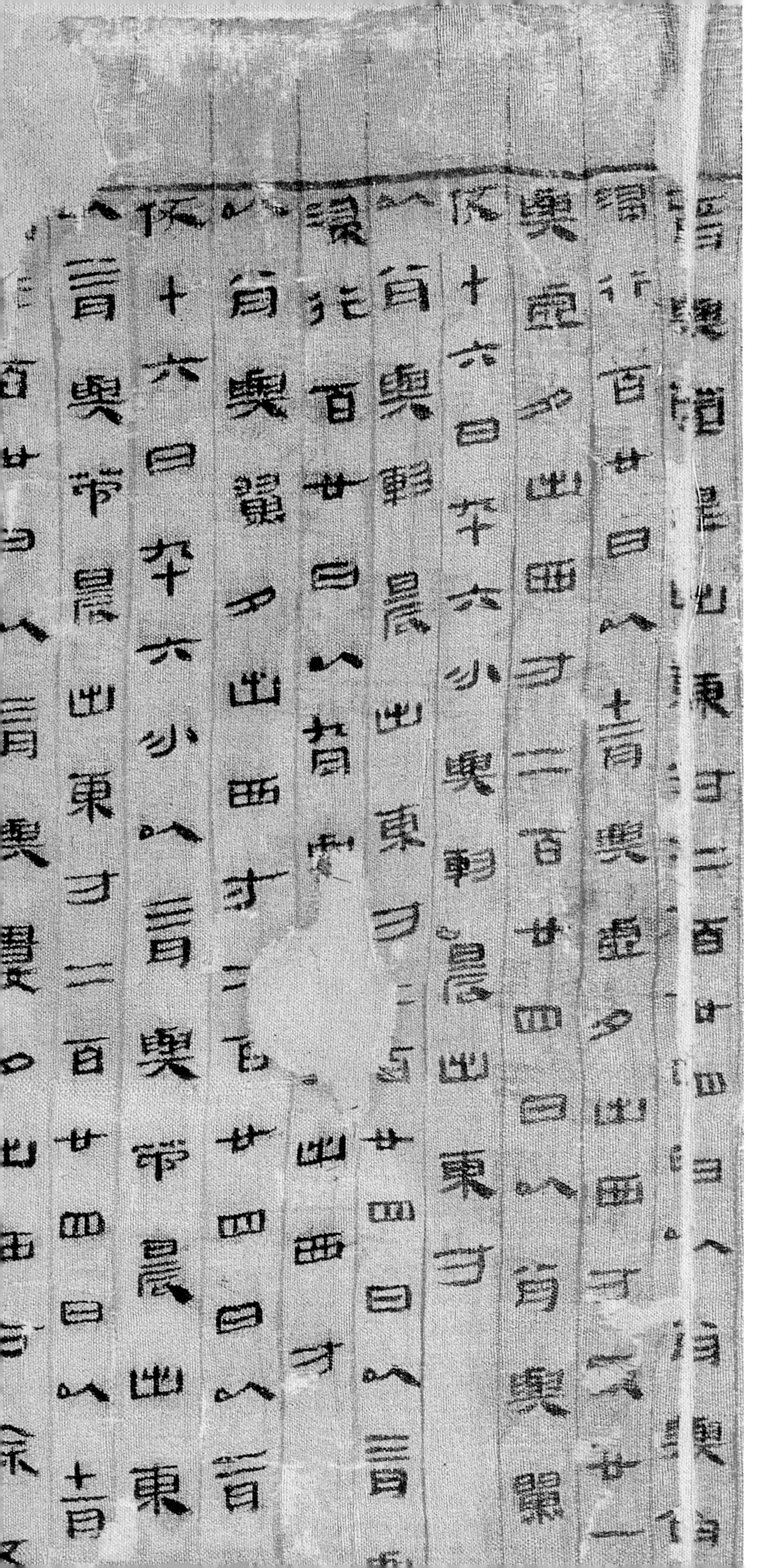

《五星占》五

既已處之有□東去之其國凶土地榣不可興事用兵戰斲不勝所（一行）
□隨丘□□□大起土攻若用兵者攻伐填之野者其咎短命亡（二行）
效亢冬至效牽=一時不出其時不和˪四時□□天下大饑其出蚤於時爲（三行）
寒反温其出房心之間地盼動˪其出四中以正四時經也其上出四（四行）
□□星□□斲天下大亂其入大白之中若痲近繞環之爲大戰趮勝（五行）
□□□□□□□侯王正卿必見血兵唯過章=其行必不至巳而反入於東方（六行）
□□唯過彭=其行不至未而反入西方其見而速入亦不爲羊其所（七行）
甲其長其時冬其日壬癸月立西方北方國有之主司失德不順者（八行）

黔乙[illegible]上首[illegible]其國凶土地程不可興事用兵戰斷不勝所
[illegible]精壯[illegible]之土坡營[illegible]兵者攻伐填土墾者其咎短命亡
[illegible]合合星斂年一時不出其時不[illegible]之下大饑其出卷有時爲
[illegible]辰溫其出國也土開地盼動其出四十。日四時經也其上出四
[illegible]皇[illegible]久下大穀其人大白土中言[illegible]從緩環土爲大戰[illegible]勝
後王正御水見正矣喻謠章其行必不至乙而反入伯東方
作謂彭=其行不至=而反入西方其見而復入亦不爲年其所
甲其長其時今其國王美月立西方[illegible]方國育土主司天德不順者

圖書在版編目（CIP）數據

馬王堆漢墓帛書書法・漢隸・二／湖南省博物館，上海書畫出版社編；喻燕姣，王立翔主編・－－上海：上海書畫出版社，2020
（簡帛書法大系）
ISBN 978-7-5479-2562-1

Ⅰ.①馬… Ⅱ.①湖… ②上… ③喻… ④王… Ⅲ.①帛書文字－隸書－法書－中國－漢代 Ⅳ.①J292.22

中國版本圖書館CIP數據核字（2021）第038032號

簡帛書法大系

馬王堆漢墓帛書書法・漢隸 二

湖南省博物館 上海書畫出版社 編
喻燕姣 王立翔 主編

責任編輯 孫暉 張恒煙
審讀 雍琦
責任校對 倪凡
封面設計 王峥
技術編輯 顧杰

出版發行 上海世紀出版集團
上海書畫出版社
地址 上海市闵行区號景路159弄A座4楼 201101
網址 www.shshuhua.com
E-mail shcpph@163.com
印刷 上海界龍藝術印刷有限公司
經銷 各地新華書店
開本 889×1194mm 1/12
印張 12.34
版次 2021年1月第1版
2023年3月第3次印刷

書號 ISBN 978-7-5479-2562-1
定價 98.00圓